KB195875

여론조사와 각종 데이터로 분석한

2022 대선지형

민주당 장기집권 가능성은?
보수정당 재집권, 방법은?
2022년 대선, 판을 흔들 집단은 누구일까?
이제 40대가 결정하지 못한다.
2022년 대선, 핵심 이슈는 무엇일까?

여론조사와 각종 데이터로 분석한
2022 대선지형

초판인쇄 2021년 3월 13일
초판발행 2021년 3월 17일

지은이 김효태
펴낸이 이재욱
펴낸곳 (주)새로운사람들
디자인 김남호
마케팅관리 김종림

ⓒ 김효태 2021

등록일 1994년 10월 27일
등록번호 제2-1825호
주소 서울 도봉구 덕릉로 54가길 25(창동 557-85, 우 01473)
전화 02)2237.3301, 2237.3316   **팩스** 02)2237.3389
이메일 ssbooks@chol.com
홈페이지 http://www.ssbooks.biz

ISBN 978-89-8120-615-4(03340)

여론조사와 각종 데이터로 분석한

2022 대선지형

민주당 장기집권 가능성은?
보수정당 재집권, 방법은?
2022년 대선, 판을 흔들 집단은 누구일까?
이제 40대가 결정하지 못한다.
2022년 대선, 핵심 이슈는 무엇일까?

김효태 지음

새로운사람들

Z세대의 선택에 달린 대선판도

2020년 21대 총선에서 더불어민주당은 대승을 거두었다. 당시 민주당의 이해찬 당 대표는 임기 동안 '민주당 20년 집권론'을 자주 언급했는데, 당 대표 임기를 마친 후 어느 언론과의 인터뷰에서 '민주당 20년 집권론'에 대해 아래와 같이 설명했다.

"우리나라는 수십·수백 년 동안 보수(세력)가 집권한 보수 중심의 사회이기 때문에 민주당을 중심으로 하는 진보 세력이 향후 20년 동안 지속해서 집권해야 보수와 진보의 균형이 잡힌 사회가 될 수 있다."

필자는 이 전 대표의 이 말을 듣고 난 후 뭔가 허전한 느낌이 들었다. 이 전 대표는 민주당의 20년 집권에 대한 필요성을 주장하면서도, 정작 중요한 사항은 언급하지 않았다. 그것이 얼마나 가능한 일인지, 그리고 어떻게 하면 성사될 수 있는지 등에 대해서는 언급하지 않았다. (이 전 대표가 그럴 만한 근거나 전략을 밝히지 않은 이유는 막후 실력자로서 역할을 행사할 가능성으로 짐작해본다.)

2010년부터 민주당에 유리해진 유권자 지형,
민주당 장기집권 토대는 충분

2020년 현재, 묻지도 따지지도 않고 무조건 보수정당만을 선택하던 세대는 어느덧 60세 이상의 노년층으로 변했다. 80년대 민주화 운동을 이끈 586세대가 벌써 50대를 넘어섰다. 일부는 60세를 지나고 있다. 586세대(50대 연령층)를 기준으로 하여 그 이전과 이후로 나누면 인구분포 비율에서 이미 큰 차이가 난다. 50대 이하의 인구(유권자) 분포가 60세 이상을 큰 폭으로 넘어섰다. 이미 2010년부터 나타난 현상이다.

　민주당에 우호적인 '586세대 및 그 이후 세대'와 보수 세력이 오랫동안 우위를 차지할 수 있도록 해준 '1950년대생을 포함한 그 이전 세대' 간의 유권자 분포에서 차이가 나 있었다. 민주당에 우호적인, 좀 더 정확하게 말하자면 보수정당에 반감이 많은 세대의 인구분포가 그렇지 않은 세대보다 높아져 있었다. 그냥 높은 정도가 아니라 몇 배 차이로 훨씬 더 높은 비율을 10년 동안 유지해왔다.

　그래도 민주당은 승리하지 못했다. 이유는 투표율 때문이었다. 2010년 당시 40대(지금의 586세대) 이하 연령층은 투표율이 낮았다. 민주당을 선택할 가능성이 큰 세대가 이미 수적으로 많았지만, 투표율이 낮은 관계로 민주당이 승리하기는 쉽지 않았다.

　또 2010년 당시는 민주당에 대한 신뢰가 그리 높지 못했다. 민주당은 이미 2010년부터 유권자 분포상 유리한 조건을 갖췄음에도, 낮은 투표율과 민주당에 대한 확신 부족, 민주당의 전략 부재 등의 이유가 겹쳐 승리하기는 쉽지 않았다.

　이후 10년이 지나는 동안 많은 변화가 있었다. 인구구성에서 비중이 매우 높아진 586세대 및 그 이후의 세대가 적극적인 투표를 하였고, 인구 비율은 더 높아졌다. 그 결과 민주당은 정치적인 우위를 갖게 되었다. 2020년 현재 정치지형이 완성되었다.

민주화 세대인 586세대와 진보적인 X세대, 그리고 다음 세대인 밀레니엄 세대까지, 이들은 민주당이 우세한 정치지형을 만들어준 민주당 성향 유권자들이다.

다수가 된 민주당 성향 유권자. 그 시작은 '안철수 현상'

현재처럼 민주당이 우세를 차지하게 된 정치지형은 2018년 제7회 지방선거 때 완성됐다. 그 조짐은 2010년부터 나타났으며, 보수정당이 확실하게 뒤처진 시점은 2016년부터다.

이미 2010년도부터 보수진영이 승리하기 쉽지 않은 환경이었다. 그렇다고 민주당이 승리하지도 못했던 2016년까지, 그 6년 사이 중요한 역사적 사건과 함께 유권자들 사이에서는 의미 있는 움직임이 있었다. 바로 안철수 현상이다.

따지고 보면 당시 안철수 현상은 현재 민주당 우위 정치지형을 만들어낸 '민주당 성향 유권자들이 일으킨 바람'이었다.

민주당 성향 유권자들은 보수 우위의 정치지형을 민주당 우위로 즉시에 바꾸지 않았다.

유권자들은 민주당이 믿음직스럽지 못했다. 그랬기에 2010년 제5회 지방선거에서 민주당에 불완전한 승리를 안겼다. 유권자들은 제5회 지방선거에서 민주당에 전반적인 우세를 허용하면서도, 가장 중요한 서울시장과 경기도지사는 보수정당을 선택했다.

당시의 민주당은 유권자들로부터 확실한 신뢰를 얻지 못했다. 그

대와 Y세대이다. 이들은 2011년 당시 '안철수 현상'이라는 바람을 일으킨 핵심 세대들이다.

이들은 2011년 당시, 한나라당은 절대로 지지하지 않으면서 민주당을 신뢰하지 않았던 대규모 유권자 집단이었다.

이러한 일이 2022년 대선에서 비슷하게 일어날 가능성이 있다. 20대부터 50대까지의 연령대인 '민주당 성향 유권자'들의 세대 간 연합이 깨지기 시작했다. Z세대는 일찌감치 이탈했다.

30대도 급속히 이탈 중이다. 2022년 20대 대선 때는 2004년생까지 투표할 수 있다. 이들 2000년대생 유권자들과 함께 지금의 20대와 30대 초중반의 유권자들이 새로운 바람을 일으킬 유권자 집단이 될 가능성이 있다. 이들 신세대는 출생 시기가 1988년부터 2004년까지 약 15년 정도 된다.

이들 눈에는 민주당과 국민의힘이 다르지 않아 보인다. 비슷하게 '내로남불'이고, 비슷하게 기득권 세력이며, 비슷한 '꼰대'들일 뿐이다. 이들 유권자 집단은 2022년 대선에서 완전히 다른 것을 요구하는 새로운 바람을 일으킬 가능성이 크다.

이들의 선택이 어떻게 흘러갈지 좀 더 연구가 필요하지만, 분명한 점은 앞선 세대들처럼 무턱대고 민주당을 선택하지 않을 것이다. 그렇다고 국민의힘을 포함한 야당은 어디라도 신뢰하지 않는다. 이들의 관점에서 현재 보수 세력은 '꼰대 of 꼰대'일 뿐이다.

2021년은 이들 신세대 유권자 집단을 향한 새로운 경쟁이 시작되는 한 해가 될 것이다. 당장 서울시장 재·보궐 선거에서, 2000년대생과 20대, 그리고 30대 초중반까지의 젊은 세대들이 거대한 스윙보터 집단이 되어 선거 승패를 결정짓는 '균형의 추'와 같은 역할을 할 것이다. 각 선거캠프는 이들에게 공감을 얻어낼 수 있는 캠페인과 메시지를 선거 전략의 핵심 요소로 삼아야 할 것이다.

보수정당(국민의힘)은 다시 기회를 얻을 수 있을까?

현재 지리멸렬한 모습을 보이는 '국민의힘'은 10년 전의 민주당과 달라 보이지 않는다. 선거에서 보여준 전략은 '묻지 마' 식의 통합뿐이었다. 수시로 당명을 바꾸고 신당(또는 통합)을 만들자는 말만 무성하다. 현재의 당명 '국민의힘'까지 2020년에 사용한 당명(비례위성정당 포함)만 4개다. 보수 혁신을 외쳤던 정치인들마저도 스스로 보수통합이라는 비빔밥에 자신을 섞어버렸다. 보수의 가치를 변화시키고 중도로 확장을 노리는 비상대책위원장은 당 내외의 기득권 세력에게 건건이 방해받고 있다.

이명박—박근혜 정부의 과오(過誤)에 대한 사과와 반성은 지난 대선 때 했어야만 했다. 그것을 3년이 지나서야, 그것도 임시 지도부를 통해 겨우 했으며, 그나마도 당·내외에서 반발이 끊이지 않고 있다. 여전히 변화를 거부하는 것이다.

오죽하면 문재인 정부가 임명한 검찰조직의 수장이 차기 대권 지지율 1위를 차지했겠는지 생각해보아야 한다.

아직은 차기 대선을 언급하기는 섣부르지만, 현재 언급되고 있는 야당 소속 대권 주자가 대선에 나선다면 누구라도 패배할 것이다. 현재 야권은 신성(新星) 인사가 필요하다. 그러지 않는다면 보수 세력은 여전히 어려운 처지가 될 것이다. 지금 언급되고 있는 대권 주자들은 과거 보수 우위 정치와 보수 사회를 누려온 인사들이기 때문이다. 민주당 성향 유권자들은 그것이 싫어서 보수정당을 선택하지 않은 것인데, 그런 시대와 사회로의 회귀는 언감생심일 것이다.

정권을 빼앗기고 총선에서 최악의 참패를 당했는데도, 보수정당 내부에서 쓴소리와 바른 소리를 내는 정치인이 없다. 오히려 과거에 대해 반성을 한 지도부에 반발하기도 했다. 우리 정치와 사회에서 오랫동안 우위를 차지하며 기득권을 누려왔던 모습 그대로다. 본문에서 언급하겠지만, 보수정당이 재기에 성공하려면 관점부터 바꾸고 완전하게 새로운 전략으로 접근해야 한다.

민주당의 대선 승리를 위한 필수 전략은 문재인 정부와의 차별화

어떤 선거라도 승패는 중도계층의 선택에 달렸다. 현재 중도계층은 보수정당을 철저하게 버렸다. 야당이 대선이 다가왔을 때 문재인 정부를 공격해봐야 소용없다.

유권자들은 새로운 비전 없이 반대만 하는, 그리고 과거에서 변하지 않은 보수정당(후보)은 선택하지 않을 것이다.

때가 되면 민주당 대선 주자들도 문재인 정부의 공과를 구분하며 차별화를 가져올 것이다. MB정부와의 차별화로 정권연장을 이끈 박근혜 후보의 승리와 비슷한 이치다.

민주당 성향 유권자가 다수인 상황에서 코로나19와 변하지 않는 보수정당. 이 두 가지는 민주당의 정치적 우세를 굳건하게 지켜준 요인이었다. 경제 상황을 고려하면 절대 불가능한 일이다. 문재인 정부는 경제에서 고전을 면치 못했다.

특히 부동산 문제는 민주당이 우세한 정치지형을 무너뜨릴 수 있는 가장 큰 요소가 되고 있다. 게다가 적폐를 청산한다면서, 또 다른 새로운 적폐들을 차곡차곡 쌓아가고 있다.

아무리 민주당 성향 유권자가 다수라 하더라도, 무턱대고 절대적인 지지를 해주기가 어려운 상황이 되었다. 실제로 중도성향이 짙은 20대와 일부 30대는 문재인 정부와 민주당에 대한 지지를 대거 철회하기 시작했다. 여당이 문재인 정부와 차별화한 모습을 보이지 못한다면, 그리고 야당은 2016년 이전과 다를 바 없는 보수의 모습이라면, 누구라도 실패할 것이다. 만약에 둘 다 변하지 않는다면, 민주당 성향 유권자들이 다수이기 때문에 여당이 좀 더 유리할 것으로 보인다. 그만큼 현재 보수진영의 나락은 심각한 수준이다. 유권자는 바뀌었는데 보수진영은 그대로다.

좋은 전략이나 아이디어는 괜찮은 통찰을 통해야 가능

여기까지가 이번 작업에서 써나갈 내용이다.

좋은 아이디어는 괜찮은 통찰을 거쳐야 나올 수 있다. 전략과 아이디어까지 독자들에게 공개하지는 않겠지만, 통찰에 대해서는 독자들에게 공유하고 평가도 받아보고 싶다.

경영심리학자인 '토마스 차모르-프레무지크'는 자신의 저서인『왜 무능한 남자들이 리더가 되나』에서, "탄탄한 지적자본을 갖춘 사람은 경험과 전문성을 통하여 데이터 기반의 직감을 키워나가기 때문에, 업무를 해결할 때 자신의 직감을 믿을 수 있다."고 했다. 나는 이 말처럼 선거 경험에 더해 전문성과 데이터를 기반으로 통찰하고,

아이디어를 위한 상상력(직감)을 키우려는 노력을 계속하고 있다.

아이디어는 상상력이 필요하지만, 통찰마저 상상력으로 하면 현실과 동떨어진 해석을 내놓게 된다. 또한 통찰을 배제하고 상상력에만 기대어 나온 아이디어는 쓸모가 없다. 제대로 통찰만 되어도 아이디어 창출은 반 이상 해낸 것이나 다름없다.

필자와 독자들에게 좋은 아이디어를 만들어내기 위한 괜찮은 통찰의 글이 되었으면 하는 바람이다.

글을 쓰면서, 비판은 하겠지만 비난이나 비하는 하지 않을 것이다. 비판은 그 대상에 대한 가능성과 한계를 함께 제시해준다. 그래서 발전과 퇴보 두 가지를 모두 가늠해보는 통찰의 평가 결과를 내놓을 수 있다. 하지만 비난이나 비하는 증오에서 나오는 비아냥의 표현일 뿐이다. 비난이나 비하는 불평을 멈추지 못해 나오게 된다.

사회심리학자 '살보 노에(S. Noe)'는 자신의 저서인 『불평 멈추기』에서 "불평을 멈출 수 없는 것은, 삶의 의미를 찾지 못하고 만족하지 못하며 공감 능력이 부족하고 자기중심주의에 사로잡혀 있기 때문"이라고 설명한다. 불평이라는 습관에 중독되면 비난이나 비하가 일상이 되어버린다.

정치에서 불평·불만의 '끝판왕'은 국민 탓을 하는 것이다. 유권자 탓, 국민 탓, 언론 탓을 하는 것만큼 모자란 사람도 없다. 우리 국민, 우리 유권자는 언제나 현명하고 위대한 선택을 해주었다. 정치인 또는 정치나 권력을 논하는 누구보다 현명하며, 항상 최선의 답을 내려주었다. 그런 국민(유권자)을 향해 탓을 하거나, 아니면 국민을 '기계처럼 표나 찍어주는 존재'로 비하하는 어리석은 사람들이 간혹 있다. 그들은 정치인으로서 또는 정치권에서 권력을 논하는 사람으로서, 스스로 자격이 없음을 떠들어대는 것이다. 필자는 그런 '남탓-주의자'가 되고 싶지는 않다.

나는 이번 작업에서 국민의 생각과 민심의 향방을 연구하고, 이것에 관심이 많은 독자와 함께 진지한 토론과 논의를 해보고 싶다. 그래서 부족한 연구이지만 이번 작업을 공개하며, 독자들의 의견을 구하고자 한다. 글 중에 인용하게 될 데이터나 특정 논리 등은 출처를 밝히겠지만, 보편적인 지식을 언급하거나 인용하는 경우에는 출처를 생략할 것이다. 여러 곳에서 표현되었던 팩트와 지식까지 굳이 출처를 밝힐 필요는 없다고 생각한다. 지루해도 함께해주시는 분들이 계신다면 영광이겠다.

저자 김 효 태

차례

3장　지금은 중도 중심에 실용주의 시대

4장　유권자는 변덕스럽다.
　　　그것이 유권자에게 유리하다.

1장 민주당 장기집권 쌉파서블?
민주당 20년 집권론, '뇌피셜'만은 아니다.

2010년부터 민주당으로 기울어지기 시작한 운동장

민주당 성향 세대가 다수인 시대

민주당 우위의 시대를 만드는 세대 : X세대

민주당 우위의 시대를 만드는 세대 : Y세대

진보도 보수도 아니다. 개인주의와 실용주의 세대 : Z세대

21세기에 출생한 2000년대 생. 그리고 586세대

60세 이상 세대의 정치 · 이념적 DNA는 보수?

마냥 민주당 성향이기만 할까?

중도층과 무당파의 증가. 민주당의 위기일까?

중도층은 왜 국민의힘을 지지하지 않을까?

민주당 성향 유권자. 그 시작은 안철수 현상

이제는 보수 중심에서 중도 중심 사회로

2010년부터 민주당으로 기울어지기 시작한 운동장

'민주당 〉 보수정당'으로 바뀐 유권자 지형

2016년에 진행된 20대 총선은 달라진 유권자 지형에 따라 우리나라 정치지형이 바뀌게 되는 중간 과정이었다. 바로 이어지는 2016년 촛불과 대통령 탄핵, 2017년 문재인 정부의 탄생, 그리고 2018년 지방선거와 2020년 21대 총선에서 민주당의 압승이라는 거대한 쓰나미를 앞둔 전조현상이었다.

오랫동안 고착되어 있었던 보수 우위 정치지형이 단 한 번의 지각변동으로 변했다면, 꽤 큰 소요가 있었을 것이다. 민주당이 다수파로 되기까지 다년에 걸친 중간 과정이 있었다. 지각판의 대이동 전에 전조로 나타나는 예진이 발생하듯이, 민주당 우위 정치지형은 2016년 20대 총선이라는 중간 과정을 거치며 현재로 완성된 것이다. 그만큼 우리 유권자들의 선택은 현명하고 조심스러웠다.

박근혜 정권과 당시 집권 여당인 새누리당은 자만에 빠져있었다. 그들은 20대 총선에서 과반 의석을 넘어 180석까지 가능하다는 말이 나올 정도로 민심의 변화에 둔감했다. 새누리당은 결국 원내 과반은커녕 제2당으로 밀렸고, 원내 교섭권을 갖춘 제3당의 존재로 인해 원내 협상마저 주도권을 잡지 못했다.

이후 탈당 사태까지 벌어졌다. 보수 세력(정당)은 비록 부패하고 무능할지라도 기득권을 중심으로 똘똘 뭉치는 것 하나만큼은 잘 해냈지만, 보수 우위 시대의 붕괴에 따른 홍역을 앓기 시작한다. 그런데도 보수정당은 김대중-노무현 정부 때처럼 '반대만을 위한 반대'로 일관했고, 극성스러운 소수 세력의 눈치를 보며 혁신을 미루기만 했다. 그 결과, 2020년 21대 총선에서 참패를 당한다. 당시 미래통합당(현 국민의힘)은 총선을 앞두고 보수통합 타령만 했다. 과거 패러다임에서 한 발자국도 나아가지 못했다.

이미 유권자 지형은 민주당 우위로 돌아섰음에도, 민생마저 뒤로 내팽개쳐 놓았다. 보수통합 등 정치적 사안에만 매달렸고, 탄핵 여파를 떨쳐내지 못하며 과거의 프레임에서 헤어 나오지 못했다. 그나마 국민의힘 비상대책위원장이 과거 정부에 대한 사과와 반성을 했으니 앞으로 어떻게 변할지 지켜볼 일이다.

보수정당의 지지부진함은 과거 국민의정부와 참여정부 이후 10년간 실패를 거듭하던 민주당의 전례를 답습하는 듯하다. 당시 민주당은 내부의 혁신과 새로운 패러다임의 구축보다는 야권(후보) 단일화만 외치며 숫자놀이에 여념이 없었다. 나름대로 혁신을 시도하기는 했으나 의도대로 되지 않았다.

그러는 동안 보수 중심의 인구지형이 점점 변했다. 민주화 세대가 성장하고 다수를 점하면서 정치지형이 변한 것이다. 2010년 제5회 지방선거에서 민주당이 선전하게 되었다. 경상도 지역을 제외한 대부분 지역의 지방의회에서 민주당은 다수당이 되었다. 2012년 18대 대선은 보수정당의 후보가 승리하기는 했지만, 유권자 지형에서 보수 우위의 시대가 끝나가고 있음을 알려주는 사건이었다.

18대 대선, '민주당 다수'의 유권자 지형에서 보수가 힘겹게 승리한 선거

18대 대선에서 대구지역과 경북지역은 그 이전 대선과는 달리, 높은 투표율을 보여주었다. 이로 인해 유권자 수가 민주당에 유리함에도 불구하고 박근혜 후보가 이길 수 있었다. 당시 대구의 투표율은 79.7%로 전체 광역시도 중에서 2번째로 높았고, 경북은 4번째로 높았다. 대구와 경북은 17~18대 대선을 제외하면 광역시도별 투표율 순위에서 줄곧 하위권에 속해 있었다.

*표1) 10년간 대구&경북 지역 투표율과 순위(단위 %)
  – 17개 광역시도 중의 순위

		2020 21대 총선	2018 7회 지선	2017 19대 대선	2016 20대 총선	2014 6회 지선	**2012 18대 대선**	2012 19대 총선	2010 5회 지선
대구	투표율 순위	7위	16위	9위	17위	17위	**2위**	16위	16위
	투표율	67.0	57.3	77.4	54.8	52.3	**79.7**	52.3	45.9
경북	투표율 순위	9위	5위	13위	13위	7위	**4위**	4위	5위
	투표율	66.4	65.7	76.1	56.7	59.5	**78.2**	56.0	59.4

*자료 출처 : 중앙선관위
*전국 광역시도별 투표율과 비교했을 때 대구와 경북 지역은 2012년
 18대 대선(박근혜 당선) 때 가장 높은 투표율을 보여줌

대구와 경북에서 높아진 투표율로 얻게 된 박근혜 후보의 추가 득표수는 대략 10만 표 정도에 불과했겠지만, 두 지역 외에 있는 보수 성향 유권자들 역시 매우 적극적인 투표를 보여주었다. 그래서 승리가 가능했다. 요즘말로 보수 표를 '영끌(영혼까지 끌어 모으다)'해서 투표하게 만들었다.

그만큼 2012년은 이미 보수정당이 승리하기에 녹록치 않은 환경이었지만 보수 총결집을 통해 보수 세력이 이겨낸 선거였다.

그에 더해, 스윙보터(중도층)를 두고 벌어진 문재인 후보와의 경쟁에서도 박근혜 후보가 앞섰기에 승리가 가능했다.

18대 대선을 평가하다 보면 민주당과 안철수 후보 측의 선택에 대해 두고두고 아쉬움이 남을 수밖에 없다. 당시 가상 양자대결에서 안철수 후보가 줄곧 앞서왔다. 나중에 일부 여론조사에서 문재인 후보도 앞서는 것이 몇몇 나오기는 했으나, 불안전한 1위였다.

만약 민주당과 민주세력이 5년 만의 정권탈환을 강하게 갈구했다면, 그리고 박근혜 정권의 탄생을 막으려 했다면, 2012년 당시에 좀 더 현명한 선택을 했어야 했다. 당시 유권자 분포는 이미 민주당이 유리한 상황으로 변하고 있을 때인데, 그렇게 유리한 상황을 온전하게 받지를 못하고 결국 패하고 말았다.

18대 대선이 있기 한 해 전인 2011년 서울시장 재·보궐 선거에서 민주당은, 민주당 후보가 아닌 시민후보를 앞세워서 서울시장 직을 새누리당에서 겨우 떨어뜨려 놓았다. 그 정도로 2011년 당시에 민주당은 반(反)새누리당 성향의 유권자들에게 믿음을 주지 못했다. 그래도 민주세력의 승리를 위해 무소속 후보를 민주세력의 대표주자로 양보해주며 더 큰 승리에 이바지했다. 당시로서는 아주 현명한 선택을 한 것이다.

2012년에도 그랬어야 했다. 민주당과 문재인 후보 측의 욕심이 과했던 것도 있었지만, 정치력과 정치적 세기(細技)가 부족했던 안철수 후보와 안철수 후보 측의 결정도 큰 오점이었다.

결국 양쪽 모두 민주세력의 승리보다는 자신들만의 권력 취득이 목적이었던 것이다.

그런 결과 이미 2010년부터 다수가 된 민주당 성향 유권자들의 선택에 변수가 생겨 버렸다. 2012년 대선에서 민주당 성향 유권자들은 아직 준비가 되지 않은 민주당(후보)을 선뜻 선택하지 못하였다. 그 때문에 많은 국민들은 국정농단을 보게 되었고, 박근혜 정권의 끊임없는 이념몰이에 시달리게 되었다.

민주당 성향 세대가 다수인 시대

80년대 민주화를 외친 586세대가 50대,
가장 진보적인 X세대가 40대

　보수정당을 든든하게 지켜주던 산업화세대와 해방세대, 그리고 그 이전세대는 2020년 현재, 60세 이상의 노년층이 되었다. 아무리 고령화 사회라고 하지만 보수 세력을 뒷받침해주던 과거 세대의 인구는 자연감소가 되고 있다.

　반면에 1980년대 당시 독재타도를 외쳤던 586세대는 50대가 되었고, 역대 가장 진보적이라는 X세대(70년대 태생)와 Y세대(80년대 태생)는 40대와 30대가 되어 사회의 주축이 되었다.

　586세대의 자식세대인 Z세대(90년대 태생, 20대) 역시 유권자가 되었고, X세대의 자식세대도 조금씩 유권자가 되어가고 있다. 또한 시대는 가부장적인 전통과 보수적 생활을 강요하던 과거에서 벗어나고 있다. 항상 '젊은 그대'인 줄 알았던 586세대가 보수화되었다고 할 정도로 유권자 지형은 완전히 변했다. 민주당이 죽을 쑤고 보수가 잘해도 보수의 편을 들어주기가 쉽지 않은 시대가 된 것이다.

　2020년 현재 문재인 정부는 부동산 문제와 높은 실업률로 곤란한 상황에 처했고, 그럼에도 지나친 이념몰이를 이어가고 있지만, 집권 4년차의 국정운영 평가가 그렇게 나쁘지만은 않았다. 역대 정부의 집권 4년차 지지율과 비교해도 가장 높다. 이는 민주당 성향을 보이는 유권자가 다수를 점하고 있는 덕분이며, 이들이 보수정당을 대안으로 생각하지 않고 있기 때문이었다.

4년차 문재인 정부 평가가 나쁘지 않은 이유,
'민주당 다수' 유권자 지형 덕분

물론 40대라고 모두 민주당을 지지하고 60대라고 모두 보수정당을 지지하는 것은 아니다. 민주당의 텃밭이라고 불리는 광주에서 민주당이 아닌 정당에도 표가 나오고, 반대로 국민의힘의 텃밭인 대구에서 민주당에게 표가 나오는 것과 비슷한 이치다. 지역과 세대별로 특정 이념이나 정치적 성향에 대해 다수를 점하는 지점이 있고, 그러면서 소수 의견도 항상 존재한다.

실제로 한국갤럽 2020년 9월 4주차 여론조사에서 민주당 지지율은 30대(Y세대)에서 44%, 40대(X세대)에서는 47%, 586세대에서는 41%였다. 반면 국민의힘 지지율은 30대 16%, 40대 15%, 50대 26%로 나왔다. 60대 이상의 지지율은 국민의힘 31%, 민주당 28%였다. 304050 연령대라고 해서 모두 민주당을 지지하는 것이 아니고, 60세 이상이라고 모두 국민의힘을 지지하는 것은 아니다.

21대 총선 비례선거에서 민주당(비례정당명 더불어시민당)이 광주광역시에서 얻은 득표율은 60.95%였다. 광주시민 전부가 민주당을 지지한 것이 아니다. 미래통합당(비례정당명 미래한국당)은 대구광역시의 21대 총선 비례선거에서 54.79%의 득표율이었다. 대구 시민 전체가 국민의힘을 지지한 것이 아니다. 대구에서 민주당(비례정당 더불어시민당)은 16.23%의 득표율을 보이기도 했다.

이처럼 같은 세대나 특정 지역에서 나오는 정치적 의사와 결과가 모두 같은 것은 아니다. 다만 동일 세대와 단일한 한 곳의 광역 지역마다, 다수의 의향을 통해 특정한 정치적 지향점이나 지지정당이 나온다. 동일한 연령대나 같은 지역 주민들이 비슷한 공감대와 동질성을 갖고 있으면서 나타나는 연대감의 결과 때문일 것이다.

보수 우위 지형을 만들어준 세대의 인구는 자연스럽게 감소 중

세대구도가 과거와 달리 민주당에게 유리하게 잡혀 있기 때문에, 근–미래에 예상되는 결과도 최근의 선거결과와 비슷하게 될 가능성이 높다. 민주당 당 대표실 부실장이었던 유창오 선배는 2011년에 발간한 자신의 저서『진보세대가 지배한다』에서, "2010년 이후 심화되고 있는 세대갈등으로 세대 간 구도가 잡혀가고 있으며, 역사상 처음으로 진보가 다수파가 되는 전환점을 앞두고 있다."고 했다.

*표2) 10년 전과 비교한 세대별 인구 분포

	2010년 5회 지방선거 당시 유권자 분포		2020년 9월 현재 주민등록 인구	
Z세대 (90년대 태생)			18~19세	2.5%
	19세	1.4%	20대	15.4%
Y세대(80년대 태생)	20대	17.9%	30대	15.7%
X세대(70년대 태생)	30대	21.1%	40대	18.9%
586세대(60년대 태생)	40대	22.5%	50대	19.6%
산업화세대	50대	17.3%	60대	15.0%
해방세대 등	60세 이상	19.6%	70세 이상	12.8%

*인용자료 출처 : 제5회 지방선거 총람, 국가통계포털.
*586세대 이하 연령대의 유권자 분포가 10년 전과 비교해 10%p 가까이 늘어남

유창오 선배는 저서를 통해 "매우 진보적인 성향을 보이는 2030 세대(지금의 3040세대)는 경쟁과 사교육 속에서 어린 시절을 보내고, 신자유주의의 폐해 속에서 젊음을 보내며, 복지와 분배, 진보를 요구하는 첨병이 될 것이다."라고 예상했다. 실제로 10년 전인 제5회 지방선거 당시만 하더라도 민주당 지지 성향이 강한 586세대 이후의 연령대는 합해서 62.9%로 이미 유권자 중에 다수가 되어 있었다. 2020년에는 72.2%로 더 늘어났다.

투표율까지 높아진 민주당 성향 세대

이미 10년 전부터 586세대 이후의 연령대 분포는 유권자 중 63%에 가까웠다. 하지만 민주당이 손쉬운 승리를 하지 못했던 이유는 투표율 때문이다. 2010년 5회 지방선거에서 2030의 투표율은 50%를 넘지 못했다. 5세 단위로 나누어서 보면 20대 후반의 연령대는 40%도 넘지를 못했다.

민주당 성향의 연령대는 이미 2010년부터 다수를 점했지만 투표를 많이 하지는 않았다. 그래서 민주당의 승리가 쉽지 않았던 것이다. 그러다가 2016년 이후에는 젊은 세대가 적극적인 정치참여와 함께 투표에 열성을 보이기 시작했다.

10년 전 선거에서 투표율이 50%도 되지 않던 X세대가 10년이 지난 21대 총선에서는 40대가 되어 60%가 넘는 투표율을 보였고, Y세대와 Z세대도 50% 후반대의 투표율을 보였다. 새로 유권자로 편입된 Z세대도 50%를 넘었으며, 10년 전에 52.6%의 투표율을 보인 586세대는 70%가 넘는 투표율을 보였다. 특히 21대 총선에서 투

는) 선배 세대의 도덕과 이념주의 성향에서 벗어난, 우리나라 최초의 개인주의 세대의 등장을 알린 세대"라는 것이다. 실제로 X세대는 개체주의적인 성격이 강하고 개개인이 리버럴한 성향을 갖고 있다. 그러면서 외환위기 당시 직격탄을 얻어맞은 세대여서 사회비판적인 성향이 강하다.

X세대는 조직과 관습을 주장하는 선배 세대들과 달리, 자유로운 영혼이 많은 세대다. 50세 이상의 나이에 있는 사람 중에 자유로운 영혼이라고 하면 비난에 가까운 말이다. 50대와 그 이전의 연령대에서 자유로운 영혼의 성향을 보이는 사람들은 '속없음 또는 철이 들지 않거나 무책임한 경향'이 강한 경우가 많다. 무거운 울타리와 같은 그 세대의 집단적인 관점과 논리에서 벗어나려다 보니, 그 궤도를 크게 벗어날 수밖에 없기 때문일 것이다.

그런가 하면 X세대는 세대 자체가 개체주의적인 성향이다 보니 그것이 흠이 되지 않는다. 그렇다고 '철이 없거나 속없음 또는 무책임'한 것이 아니며, 자유로움을 보이는 내면을 그대로 표출한 것뿐이다. 자유로운 자세와 유연한 입장이 특징인 세대다.

실제로 선후배 세대 모두와 어울릴 수 있고, 아날로그와 디지털을 자유롭게 영유한다. 젠더 문제에 있어서도 갈등의 원인을 잘 이해하고 있다. 90년대 문화의 영향으로 시크하면서 시니컬하기도 하다. 나서지는 않고 집단적인 면도 보이지 않지만, 공감대를 빠르게 형성하는 특징이 있다.

X세대는 보수화된 586세대와 달리, 생활 자체가 리버럴하다. 기득권에 대해 비판적이다 보니 진보적인 이념도 강한 편이다. 이념

성향은 진보라기보다는 중도-실용주의적이다.

　그러나 보수 정당을 선택할 여지는 매우 희박하다. 보수 중심의 사회를 마음에 들어 하지 않기 때문이다. 보수적인 부모세대와 갈등도 많이 겪었다. 무작정적인 보수 지향을 이해하지 못한다. 아무리 생각해도 불합리하기 때문이다.

　X세대는 10년 후에도 크게 변하지 않을 가능성이 크다. X세대가 살아온 내내 겪었던 보수와 기득권 사회에 대한 반감 때문에 보수 우위의 지형을 반기지 않을 것이다. X세대가 겪어온 경험으로는 보수 우위의 사회 그리고 보수가 다수인 시대는 X세대에게 도움이 되거나 좋을 것이 별로 없었기 때문이다.

민주당 우위의 시대를 만드는 세대 : Y세대

30대를 지칭하는 다양한 표현들 '이해찬 세대', '88만 원 세대', '밀레니얼 세대'

  밀레니얼 세대는 80년대 태생부터 2000년대 태생까지를 통칭한다. 세대 구분은 사회과학적으로 25년 정도로 구분하며, 일반적인 인식으로는 30년 단위로 구분한다. 대개 부모와 자식세대 정도로 보기도 한다. 그러나 지금 세상은 너무나도 빨리 변하고 있다. 과학기술과 문화는 5년이 멀다 하고 초고속으로 진화하고 있고, 그만큼 우리의 인식도 빠르게 변하고 있다.

  우리가 삐삐(무선호출기)를 처음 대했던 때가 25년 전이고, 스마트폰이 본격적으로 보급된 것은 10년 전이었다. 30년 전에는 삐삐(무선호출기)조차 없었지만 소통과 교류에 전혀 문제가 없었다. 그러나 지금은 빠르게 변화되는 세상에 맞추지 못하면 살아갈 수가 없다.

  세상이 빠르게 변하는 만큼 시대를 살아가는 연령대의 공통점과 공감대도 빠르게 변할 수밖에 없고, 세대의 구분도 더욱 세분화하여 짧은 단위로 나눌 수밖에 없다.

  지금이 2020년이니 80년대 태생은 모두 30대에 포함되고, 70년대 태생은 모두 40대다. 10년 단위의 연령으로 세대를 구분하기가 용이하지만 세상이 하도 빠르게 변화하다 보니 세대를 10세 단위가 아니라 5세 단위로 구분해야 할 수도 있다. 적지 않은 곳에서 이미 연령대를 5세 단위로 구분하여 조사하기도 한다.

국내 유일의 20대 전문 연구기관인 '대학내일 20대연구소'에서 발간한 『밀레니얼-Z세대 트렌드 2020(출판사 위즈덤하우스)』를 인용하면, 우리나라에서의 세대 구분을 1955~1969년에 출생한 이들을 베이비붐 세대로 구분했다. 그리고 1970~1983년에 출생한 이들을 X세대로, 1984~1996년에 출생한 이들을 밀리니얼 세대(Y세대)로, 그리고 1997~2010년에 출생한 이들을 Z세대로 구분하기도 했다.

　세대 구분은 나라마다 역사와 문화 환경이 다르므로 세계 공통으로 적용할 수가 없다. 또한 세대 구분에 대한 특정한 법칙이나 사회적 표준이 있는 것도 아니다. 그렇기 때문에 각자가 표현하려는 논제와 편의에 따라 다를 수 있다. 그러면서도 대체로 비슷하게 구분되기도 한다. 필자는 10세 단위의 구분이 설명에 용이할 것 같기에, 앞으로 10세 단위로 세대 구분을 하겠다.

불안과 불만이 체화된 세대, 부모세대와 정치적 갈등

　현재의 30대는 밀레니얼 세대 중 가장 앞선 세대다. 그 중간 세대인 90년대 태생과 구분하기 위해 Y세대로 통칭하겠다. Y세대는 흔히 말하는 '이해찬 세대'와 '88만원 세대'가 포함된다. 여기에는 기본적으로 불안함과 불쌍함, 그리고 불만이 내포돼 있다.

　이들이 사회에 진입하기 시작할 때부터 모든 것이 불안함의 연속이었고, 불공정은 지속되어 왔다. 대학입시제도는 Y세대가 대학을 지원할 당시에 수시제도로 바뀌었다. 수시제도로의 큰 변화가 있었지만 시스템이 정립되지 않아 혼란이 따랐다. 이후에는 취직을 해도 비정규직에 월 급여가 평균 88만 원인 불안한 시대를 겪어왔다.

뒤늦게 밝혀져서 떠들썩했던 얘기지만, 정유라와 같은 비리 건은 여기저기서 비공식으로 이미 알려질 대로 알려져 있었던 불공정 사례였고, 조국 전 장관의 딸이 받은 특혜와 같은 사례 역시 이미 소문이 파다했었다. Y세대에게 들려오는 소식들은 온통 불공정과 불평등한 기회들이었다. 하지만 Y세대는 기성세대에게서 끝없이 경쟁을 강요받아 왔다.

Y세대는 선배 및 부모세대가 하라는 대로 했는데, 선배 및 부모세대보다 나은 것이 없다. 스펙은 선배 세대보다 훨씬 낮지만, 삶의 질과 성취도는 형편없다. 이렇게 불안과 불만이 체화되어 삶에 대한 만족도가 낮고, 미래의 가능성을 희박하게 볼 수밖에 없다.

Y세대의 부모세대는 보수적 성향인 산업화세대다. 그런 부모세대가 이뤄놓은 토대에서 불안과 불만이 팽배할 수밖에 없었다. 그래서 부모세대와 정치·이념적으로도 많은 갈등을 겪고 있다.

이러한 Y세대는 결코 보수친화적일 수가 없다. 보수적인 부모세대(산업화세대)에 대한 비판과 불만이 작지 않다. 하지만 진보적 성향은 X세대보다 덜하다.

'한국의 사회동향' 내용 중에 〈정치 태도와 행위의 세대 간 차이〉 보고서에서 30대의 보수 성향은 30.4%로 X세대보다 높았으며, 한국갤럽의 2020년 10월 2주차 여론조사에서 민주당을 지지하는 40대는 50%였으나 30대는 42%였다.

같은 조사에서 국민의힘을 지지하는 40대는 9%에 불과했으나 30대는 14%였다. 무당(無黨)층은 두 번째로 높은 33%였다. 대통령 국정운영 평가에서도 긍정을 표명한 40대는 58%였으나 30대는 54%였다. 부정에서는 40대가 32%, 30대가 38%였다.

이곳저곳에서 나타나는 지표를 종합해 봐도 30대(Y세대)는 40대(X세대)보다 덜 진보적(민주당 지향적)이다. 그렇다고 보수는 아니고, 상대적으로 민주당 지향의 성향을 보인 것은 확실해 보인다.

Y세대가 X세대보다 상대적으로 보수정당을 선호하는 비율이 높고 보수 성향이 높다고 하더라도 이를 보수화되었다고 보기는 힘들다. 굳이 따져본다면 중도(中道)적이고 실용(實用)주의적인 선택을 하고 있다고 해야 할 것이다.

불안이 체화된 세대이다 보니 안정지향적인 모습을 보일 수도 있으므로, 생활적인 면에서 보수적 형태가 나타날 수 있다. 이는 이념적으로 보수가 아니라 실용에 가까운 선택이다. 최근 민주당(문재인 정부)이 보여주고 있는 속칭 '내로남불'의 모습에 대한 반감으로 나타난 선택일 수 있다.

무턱대고 '민주당 선택'만은 하지 않는다는 얘기다. 실리와 이득을 추구하는 인간으로서 그리고 유권자로서 당연한 현상이다.

2030에게 최대 화두는 '불공정'

Z세대(20대)에 대해서는 뒤에서 자세하게 얘기하겠지만 그에 앞서 Y세대와 Z세대에 대해 총론적으로 먼저 해석을 해야 할 것 같다.

2030세대의 최대 화두는, 한 마디로 '불공정' 문제다.

2030세대가 민주당을 지지한 이유는 보수 세력과 박근혜 정권 자체가 미워서라기보다, 보수 우위의 시대와 박근혜 정권에서 불공정이 심화됐고 고쳐질 희망이 사라졌기 때문이다. 정유라 사건이 폭탄과 같은 2030의 분노에 불을 지폈다. 그런 이유로 2030세대는 촛불을 들었고 민주당을 선택했다.

그런데 2030이 지지를 해준 문재인 정부와 민주당은 불공정 문제를 해결해주지 못하고 있다.

오히려 또 다른 형태의 불공정이 터져 나왔다.

누구나 선호하는 공공기관의 채용 과정에서 공정하지 않은 사례가 계속됐고, 곳곳에서 '내로남불'이 터져 나왔다. 그러다가 조국 전 장관 논란으로 이들의 분노는 들불처럼 번졌다. 2030 입장에서는 '민주당 집권-문재인 정부'나, '보수 집권-박근혜 정부'나 다를 것이 하나도 없어보이게 된 것이다.

대통령이 연설문을 통해 '공정'이라는 단어를 수십 번 반복한들, 정부여당은 여전히 '내로남불'이고 청년세대의 분노를 공감하지 못하고 있다. 이런 상황에서 말로만 '공정'을 외쳐봐야 아무런 효과도 없다. 그런 와중에 일부 여당 정치인은 교육문제, 청년문제 탓을 했고, 문재인 정부는 모른 척만 했다. 2030세대가 민주당을 지속해서 지지해줄 만한 요소를 스스로 지워버린 것이다.

다른 세대는 몰라도 Y세대와 Z세대가 민주당 성향으로 남기 위한 게임은 제로-베이스에서 이제 다시 시작될 것 같다. 만약에 이 경쟁에서 민주당이 제대로 하지 못한다면, 민주당 우위의 정치지형은 20년이 아니라, 불과 5년도 가지 못하고 붕괴될 것이다.

이미 그 조짐은 진작부터 나타났다. 문재인 정부와 민주당이 보여준 무감각한 공감능력 때문이다. 다시 말해, 문재인 정부가 보여준 각종 '내로남불' 사례가 공정을 바라고 있던 젊은 세대에게 큰 반감을 불러왔다. 그리고 신세대들은 문재인 대통령의 국정평가와 민주당에 대한 지지를 즉각 거두었다. 그럼에도 문재인 정부와 민주당은 태연하기만 하다.

민주당 우위의 정치지형은 문재인 정부와 민주당이 잘해서 구축된 것이 아니다. 유권자들의 세대별 구성 덕분이며, 부패하고 무능한 보수정권에 대한 반사효과였다. 지금과 같은 자세로는 민주당의 장기집권은 그저 뜬구름에 불과하다.

민주당의 정권재창출은 문재인 정부와의 차별화에 달려 있어 보인다. 과연 그럴 수 있을지 모르겠지만, 다가올 대선에서 유권자들의 선택지가 '지금 이대로의 민주당'은 확실히 아니라는 사실이 분명해 보인다.

진보도 보수도 아니다. 개인주의와
실용주의 세대 : Z세대

중도 성향의 실용주의 Z세대, 이들을 멋대로 해석하는 기성정치권

지금의 20대는 90년대 태생으로, 이들의 부모세대는 586세대다.

Z세대는 정치적으로 보자면 중도 성향이라고 해야 할 것이다. 사회적 현상에 있어서 옳고 그름에 대한 판단을, 보수와 진보라는 정치·이념적인 구분을 기준으로 삼지 않는다.

이는 중도 성향이 보여주는 전형적인 형태다. 그러므로 20대(Z세대)가 민주당을 지지하지 않는다며 이들을 보수화됐다고 하는 것은 그야말로 '꼰대'의 모습일 뿐이다.

실제로 이들의 부모세대인 586세대는 "너네는 왜 그러냐?" 또는 "라떼는….."이라며, 이해보다는 훈시 위주다. 그러다 보니 Z세대(자식세대)와 많은 갈등을 겪고 있다.

Z세대는 자신들만의 SNS 공간에서 수시로 소통한다. 꼰대들과는 대화를 할 필요가 없다고 보는 것이다. Z세대는 일명 '꼰대'인 사람과 어쩔 수 없이 맞닥뜨리게 된다면 "아~예…."라며 대충 넘어간 후, 자신들의 공간에서 꼰대들을 해학적으로 표현하며 즐긴다.

직장에서 9시에 딱 맞추어 출근하고 오후 6시 칼퇴(칼 같이 퇴근)를 당연하게 여긴다. 아닌 말로, 출근시각에 지각은 안 되는데 퇴근 시각 연장은 노동 착취나 다름없다. 그동안 이전 세대들은 그러한 불합리함에 아무런 말도 하지 못하고 지내왔다. 하지만 Z세대들은 당

당하게 말한다. "6시 퇴근은 칼퇴가 아니라 정퇴"라고 말이다.

그동안 사회에서 관습적으로 지나왔던 부조리와 비이성적인 관행에 대해 이들은 당당하게 말한다. 이는 항변이나 저항이 아니다. 당연한 권리다. 그동안 선배 세대들이 눈치만 보며 말하지 못해 왔던 것일 뿐이다. 그것을 지적하거나 따지는 것이 오히려 잘못이다.

맞는 말이다. 기성세대가 그러한 잘못된 관행과 부조리함에 익숙해 있는 것일 뿐이다. 그리고 당연한 것이 아닌, 잘못된 관행과 부조리함을 언급(종용)하는 기성세대 선배는 곧바로 '꼰대'가 되어버리는 것이다.

Z세대는 개성·자율성·다양성·대중성을 중시한다. 포스트모더니즘은 절대이념을 거부하고 탈(脫)이념이라는 현재 시대의 정치이론을 낳고 있는데, Z세대는 이러한 포스트모더니즘을 생각과 행동으로 실현하고 있는 세대다.

Z세대는 Y세대와 마찬가지로, '단군 이래 최고 스펙'이라 평가를 받으면서도 끊임없이 노력을 요구받는 세대다.

그래서 치열하게 스펙을 쌓았지만 공정한 보상과 대가가 따르지 않기에, 불공정에 분노한다.

20대 셀럽(celebrity)인 이동수 작가는 자신의 저서인 『진보도 싫고, 보수도 싫은데요』에서, "20대(Z세대)도 똑같이 촛불을 들었던 것은 정치적 성향 때문이 아니라, 불합리와 부조리에 대한 비판의식 때문인데, 정치권만 모른다."고 항변했다.

그럼에도 기성세대들은 자신들이 보려고 하는 프레임으로만 Z세대를 재단하려고 한다.

'2018년 평창올림픽 여자 아이스하키 팀 논란'과 '조국 전 장관의 논란'은 공정에 대한 문제 때문에 Z세대가 분노를 표출한 것이었다. 이때 Z세대는 민주당과 대통령의 지지에서 대거 이탈했다. 그런 와중에 일부 민주당 소속 정치인들이 '20대가 받은 교육이 문제'라고 말해서, Z세대의 분노를 더 끌어올렸었다.

20대는 무조건 진보적이어야 한다는 기성세대의 굳어진 논리로는 이해가 되지 않을 것이다. 30년 전에 자신들이 경험한 그 시절의 상황과 감성이, 30년 후의 자식세대들도 똑같을 것이라는 또는 똑같아야 한다는 착각을 하고 있다. 기성세대와 Z세대 간의 갈등이 계속되는 이유다.

Z세대에게 '민주당은 50대 부장님', '국민의힘은 60대 건물주'

『세습 중산층 사회』를 쓴 조귀동 작가는 저서에서 "오늘날 20대가 경험하는 불평등의 본질은 부모세대인 50대 중산층이 학력과 노동시장의 지위를 바탕으로, 그들의 자녀에게도 동일한 학력과 노동시장의 지위를 물려주는 데 있다."라며 "90년대 태생의 생활세계는 근본적으로 불평등한 세계"라고 했다. 20대 입장에서 사회의 부조리와 불공정의 원천은 부모세대인 586세대에게 있다고 보는 것이다.

조귀동 작가는 '국민의힘'은 60대 건물주의 정당이고, '민주당'은 50대 부장님의 정당이라 표현하면서 20대 남성은 보수화가 아니라 '비당파화'된 것이라고 해석했다. 그리고 근-미래에 중도나 무당파 또는 비민주당을 추구하는 집단적 형태를 형성할 가능성이 있다고 예측한다. Z세대에게는 보수와 진보가 다르지 않으며, 굳이 민주당을 지속적으로 지향해야 할 이유가 없기 때문이라고 해석했다.

Z세대는 개인주의적 성향이 강하여 기성세대의 시각과 고정관념으로는 이해하기도, 설득하기도 쉽지 않은 세대다. 2018년 12월 21일부터 25일까지 매일경제가 의뢰하여 여론조사기관 두잇서베이가 20대 연령층을 대상으로 진행한 여론조사 결과에 따르면, 현재 20대인 Z세대는 정치·이념적으로는 중도이며, 생활면에서는 실용주의적인 모습을 보이고 있다고 한다.

여론조사에 응답한 20대들은 '자신에게 가장 필요한 것이 무엇이냐?'는 질문에 무려 64%가 '생활비 등 경제적 지원'이라고 응답하여 매우 실용적인 입장을 보여주었다. 그리고 자신의 이념에 대해 중도 59.4%, 진보 24%, 보수 16%로 응답했다.

따지고 보면, 중도는 이념적 용어가 아니다. 보수와 진보 사이에서 실용적 선택을 하는 것뿐이다. 그러므로 중도와 실용의 의미는 직접적으로 맞닿아 있다.

결론적으로, Z세대는 지지 의향을 언제든 바꿀 수 있으며, 특정 정당에게 충성도 높은 지지층이 되지 않을 것이라는 사실을 잘 보여주고 있다.

앞서 언급했듯이, Z세대로부터 선택받기 위한 경쟁은 출발선에서부터 다시 시작될 가능성이 크다. 이미 문재인 정부와 민주당에 대한 지지를 대거 철회했다. Z세대의 선택이 앞으로의 정치지형에 영향을 미칠 것이라는 사실은 두말할 나위도 없다.

21세기에 출생한 2000년대 태생. 그리고 586세대

손 글씨보다 VLOG 만들기가 더 익숙한 2000년대 태생

2020년 10월 시점으로, 2000년 이후에 출생한 세대 중 유권자 자격을 갖춘 이가 이미 130만 명에 육박한다. 7년 정도가 지나면 2009년까지 태어난 이들을 포함하여 10세 단위의 새로운 세대 유권자가 될 것이다. Z세대와는 또 다른 특징을 보이는 새로운 세대와 집단이다.

21세기에 출생했고 주민등록증 뒷자리의 시작이 3이나 4로 시작하는 상징성 등 여러 가지 요인으로 인해, 앞선 세대들과는 또 다른 면모를 보이는 세대가 될 것이다.

2016년에 그들은 초등학생이나 중학생의 신분이었고, 당시 그들 손에 쥐어진 스마트폰을 통해 촛불이라는 한국 현대사를 함께했다. 민주주의를 제대로 익히고 배우기도 전에 촛불을 목격한 세대다.

그들에게 20세기는 교과서에서나 볼 수 있는 그야말로 역사일 뿐이다. 그들에게서 2002년 한일월드컵 때 한국 축구팀의 4강 신화는 기억이 아니라 기록으로만 알 수 있는 것들이다. 역사적인 남북 정상의 첫 만남 역시, 그들은 기억이 아니라 기록으로 알 수 있는 것이다. 그들은 완전히 다른 세대라는 것이다.

2000년대 이후에 출생한 세대들은 현재의 40대인 X세대와 30대의 Y세대, 그리고 20대의 Z세대와 달리, 생애 첫 선거의 투표에서

부터 높은 투표율을 보였다. 21대 총선에서 18세 유권자의 투표율은 67.4%, 19세는 68.0%였다.

이들의 투표율은 부모세대인 X세대의 투표율을 넘었다. 앞선 어느 세대도 생애 첫 투표에서 그처럼 높은 투표율을 보여주지는 못했다. 그런 정도로 2000년대 태생들의 정치의식과 참여도는 앞선 세대를 넘어선다.

만 20세인 2000년생까지 합하면 이들의 숫자는 아직 많지 않으나, 해가 지날수록 이들의 투표 파워는 매우 강해질 것이다.

앞선 세대들은 청년시절에 투표율이 낮았다. 그래서 정치권이 투표 독려를 꽤 많이 했지만, 2000년대 태생들은 알아서 투표를 했다. 이들은 초등학교 시절부터 자율에 의한 회장 선거에 익숙하다. 그리고 누구에게 교육을 받아서가 아니라 스스로 궁금한 것을 온-라인을 통해 익히고 배운다.

기성세대가 걱정하는 가짜뉴스 정도는 아주 쉽게 걸러내고 자신들이 익숙한 루트로 정보와 팩트를 받아들인다. 이들은 온라인 앱을 통한 '팩트-파인딩'이 놀랄 정도로 능숙하다.

2000년 이후에 출생한 세대들은 자신들이 필요한 정보의 대부분을 스마트폰에 있는 각종 커뮤니티와 앱 등을 통해 얻어낸다. VLOG는 손 글씨를 쓰는 것보다 더 편하게 느낄 정도로 일상 중 하나다. 한 개의 스마트폰에서 몇 가지의 앱이나 미디어 계정을 동시에 멀티로 운영하는 것에 아무런 어려움이 없다. 글을 익히기 시작할 때부터 워낙 많은 정보를 접하며 성장했기에 잘못된 것을 구분하는 데도 능숙하다.

2000년대 태생들과 Z세대는 사소할 정도로 아주 작은 참여라도 실천하며 공감을 이루는 세대다. '대학내일 20대연구소'에서 발간한 『밀레니얼-Z세대 트렌드 2020』의 내용에 따르면, 이들 신세대는 "자신들의 노력으로 올바름의 기본 값을 높였고, 그런 사회 분위기에 다시 영향을 받는다. 높아진 사회 인식에 맞춰 자신의 행동을 돌아보며 검열하기도 하고, 다양한 사회 이슈에 조금이라도 보탬이 되어야 한다는 책임감을 느낀다."고 설명된다.

2019년 한국을 향한 일본의 경제보복으로, 국내에서 일본에 대한 국민감정이 나빠지기 시작했다. 이로 인해 국내 소비자들은 일본제품 불매운동을 시작했다. 당시에 많은 사람들이 그런 국수주의적 캠페인이 21세기의 한국에서 통할지 의문을 가졌다. 하지만 작은 것이라도 참여하며 실천하고 공감해내는 것이 특징인 10대와 20대의 신세대들이 이런 캠페인에 적극 동행하기 시작하면서 실제효과가 나타나기 시작했다.

한국에 들어와서 성공한 대표적인 일본 브랜드 중의 하나가 '유니클로'다. 유니클로는 일명 '가성비'가 좋은 중저가 브랜드로 많은 신세대들이 애용하는 제품이었다. 신세대들의 기호에 맞춘 마케팅 전략과 브랜딩으로 소비성이 높은 10대부터 20대와 30대들에게 높은 인기를 얻고 있는 브랜드였다. 실용적인 신세대들의 구미에 딱 맞는 제품이었던 것이다.

그런데 일본제품 불매운동으로 인해 유니클로는 지점 곳곳이 폐점 러시를 이루었다. 이윽고 유니클로 매장 중에 가장 큰 규모이며, 한국 유니클로의 상징적인 매장이었던 명동점까지 문을 닫게 되었다. 이는 유니클로의 최대 소비층인 신세대들의 불매운동 실천이 결정적인 원인이었다. 그 정도로 신세대들의 참여의식과 '정의'에 대한 공감인식은 앞선 세대들의 실천력을 넘어선다고 할 수 있다.

이들 신세대들의 참여의식과 실천력은 그들의 생애 첫 투표였던 21대 총선에서도 확인할 수 있었다. 만18세와 만19세 및 20대의 연령대가 보여준 투표율은, 앞선 세대들이 20대 연령일 당시에는 전혀 보여주지 못했던 높은 투표율이었다.

2000년대 태생들의 부모세대는 개체주의적인 성향이며 가장 진보적이고 각자의 개성을 중시하는 X세대다. 리버럴한 부모세대의 영향으로 태어날 때부터 자유로움을 갖추고 살아왔다. 이들의 성향은 개인주의적이고 창의적이며 감각적인 것이 특징이다. 타인과 외부요인에 대하여 매우 유연하며, 모든 분야에서 '프로컨슈머'가 일상인 세대다. 과연 그런 2000년대 태생들의 정치적·이념적 성향은 어떨까? 상상하는 것만으로도 정치지형의 꿈틀거림이 느껴진다.

586세대. 생활은 보수, 이념은 진보

진보 우위의 유권자 지형이 형성되는 데 영향을 미친 세대 중, 가장 높은 연령층이 50대인 586세대다. 50의 나이를 넘기면서 생활의 측면과 정치적인 면에서 급격하게 보수화되었다. 안정희구적인 모습을 보이는 것이다. 아마도 생활의 측면에서 586세대의 보수화는 더욱 깊어질 것으로 보인다.

586세대는 1980년대에 치열하게 민주화 운동을 주도했지만, 기본적으로 가부장제적인 보수 성향의 가치관을 갖고 있기 때문에 586세대의 보수화는 자연스러운 것이라고 할 수 있다.

한국갤럽의 2012년 6월 통합 여론조사에서, 당시 40대이던 586 세대의 정당 선호는 새누리당 30%, 민주통합당 27%였다. 그러나 2020년 9월 통합 여론조사에서는 586세대는(50대) 국민의힘 22%, 민주당 41%의 지지율을 보였다. 이것만 보면 586세대는 8년 전보 다 더 진보적인 성향이 됐다. 생활은 보수, 이념은 진보인 것이다. 이러한 경향은 당분간 변함없을 것으로 예상한다.

생활의 측면에서는 이미 보수화될 때로 되어 있지만, 정치·이념적 으로 이들의 보수화는 더 확장되지 않을 것으로 보인다. 정치성향이 나 이념적으로 당분간(최소한 10년 이상)은 민주당 성향으로 남아 있을 가능성이 크다. 그 이유는 민주당 정부가 지속되어야, 586세대 주 축의 사회가 유지되고 혜택을 볼 수 있기 때문이다. 민주당 정부는 586세대의 기득권 유지에 필요한 것이다. 그러기에 586세대의 민 주당 지지는 지속될 것으로 보인다.

60세 이상 세대의 정치·이념적 DNA는 보수?

이념성향은 유전된다

적지 않은 사람들은 부모의 정치·이념 성향이 자식세대에게까지 미칠 것으로 생각한다. 막연하게 각자의 경험적 느낌과 바람을 말하는 수준이지만, 그럼에도 우리는 이러한 경향을 믿는다. 그래서 이러한 가설을 데이터 등으로 확인하고, 여러 학설을 통해 검증하려는 노력이 이어지고 있다. 아쉽게도 우리나라에서는 시도조차 없는 실정이지만 해외에서는 꽤 많은 연구가 있다고 한다.

한국에서도 이러한 노력이 없는 것은 아니다. 데이터정치경제연구원 최광웅 원장은 자신의 저서 『이기는 선거』에서, 진보와 보수는 DNA가 다르고 이념적 성향은 유전적 경향이 짙음을 역설하고 있다. 최광웅 원장은 저서에서, 미국의 연구 사례와 데이터 등을 제시하며 부모 유전자가 투표에도 영향을 미친다는 점을 해외 연구사례를 통해 설명하고 있다.

최 원장은 2015년 8월 영국 왕립학회지에 올라온 〈유전자 변형과 정치적 태도 사이의 상관관계〉라는 논문을 설명하면서, "동양인 역시 미국이나 호주 등 서양인과 똑같이 60% 정도가 정치성향은 유전된다는 결과가 나와서 가설을 입증했다."라며, "특정한 2개의 복제유전자를 보유한(동양인 대학생) 경우는 두드러지게 보수적인 태도를 보임으로써 정치적 태도와 행동유전자 사이의 연관성을 입증했다."라고 설명한다.

서울대병원 정신건강의학과 권준수 교수팀의 연구결과 보고서에
따르면, 보수주의자는 높은 심리적 회복력과 자기통제능력을 갖고
있음을 발견했다고 한다. 반면 자유주의자는 모호하고 불확실한 정
보에 더 잘 반응하지만 관대하다고 한다.
　보수주의자와 자유주의자들은 서로 반대되는 정치적 신념 체계를
유지하며, 특히 스트레스 문제를 다루는 자율규제 과정에서 정서적
인 반응의 차이를 보인다고 한다.
　이러한 연구는 좀 더 진행되어 과학적으로 밝혀져야겠지만, 그러
한 영향은 선천적인 면도 있을 것이고 또한 후천적인 부분이 있을 수
도 있다. 나이를 먹으면서 각자 개인이 자율규제 과정의 단련을 하게
되어, 후천적인 변화를 가져올 수도 있다. 그러면서 보수화되는 것이
다. 어쩌면 우리 부모세대는 선천적인 면에서는 진보적이었지만, 후
천적인 영향으로 인해 정치적인 보수화가 되었을 수도 있다.

60세 이상 세대의 DNA는 보수?

　후천적으로 보수화되었다고 가정해야, X세대와 Y세대가 민주당
(진보적) 성향을 보이는 것에 대하여 이해가 된다. X세대와 Y세대의
부모세대가, 1940~50년대 태생인 해방세대와 산업화세대다. 이들
은 2020년 현재에는 60세 이상의 노년층이 되었고, 보수정당의 든
든한 지지층이다. 그런데 이들의 자식세대는 반대로 민주당의 든든
한 지지층이다.
　부모세대가 보수적(보수정당 지지)인데, 그 자식세대들은 민주당을
지지(진보적)하고 있으니 이상한 일이다. 정치·이념적 DNA가 유전되

전되었다고 할 수 없는 것이다.

여기서 필자는 "과연 1940년대와 1950년대에 태어난 세대가 보수인가?"라는 의문을 제시한다. 2016년에 중·고등학생들이 거리로 나와 촛불을 들었던 것처럼, 1960년 4.19혁명 당시에 거리로 나와 반독재 민주주의 운동을 한 주역이 바로 우리 부모세대다. 50년대 태생은 그러한 민주혁명을 직접 목격한 세대다. 그러니까 지금의 20대인 Z세대 및 10대들(2000년대 태생)과 비슷한 역사적 경험을 한 세대라는 것이다.

60세 이상의 세대는 보수라는 유전자를 타고난 세대가 아니다. 단지 보수정당(세력)의 색깔론에 오랜 세월동안 함께해 왔던 영향이 있을 뿐이다. 산업화와 1980년대 민주화, 90년대 IMF와 2000년대 금융위기 등을 거치며 점점 보수적으로 변했다.

우리 부모세대의 부모님들은(우리의 조부모세대) 일제에 항거하는 3.1운동에서 만세를 불렀던 분들이다. 우리는 그러한 조부모와 부모의 유전자를 이어받았다.

우리의 부모세대와 조부모세대는 일제 만행과 독재에 항거했고, 우리나라의 어려운 경제상황을 몸 바쳐 극복하며 이겨낸 세대다. 단지 나이가 들면서 자연스럽게 보수화되었고, 정치적으로 마땅히 선택할 정당(세력)이 없어서이지, 선천적으로 보수 유전자를 가지고 태어난 것이 아니다.

아마도 60세 이상의 세대 중에 많은 사람들이 진보적이고 민주적인 유전자를 소유했을 것이다. 그리고 그러한 이념적 유전 요인이 지금의 586세대 및 X세대와 Y세대에게 전달된 것일지도 모른다.

마냥 민주당 성향이기만 할까?

이념적으로는 진보보다 중도, 현재의 보수정당(세력)이 싫을 뿐

지금의 유권자 지형이 민주당에게 유리하게 된 이유는, 민주당 성향이 강한 50대 이하 연령대의 유권자들이 보수 성향의 유권자(노년층)보다 수적으로 많아졌고, 그들이 투표까지 적극적으로 참여함으로써 이뤄진 것이다. 이는 이미 2010년부터 나타난 현상임을 얘기해왔다. 그런데 그런 유권자들이 마냥 민주당 성향이기만 한 것일까? 그들이 보수정당을 선택할 여지는 전혀 없는 것일까?

*표5) 지역별 이념분포도

	매우 보수	약간 보수	중도	약간 진보	매우 진보	모름
전체	6.7%	18.4%	29.6%	31.8%	6.3%	7.2%
서울	6.6%	19.7%	27.3%	33.0%	7.4%	6.0%
경기/인천	7.9%	20.1%	26.9%	33.1%	7.1%	2.9%
충청	8.7%	16.1%	33.3%	25.5%	7.3%	9.1%
부산/경남	8.5%	19.3%	23.5%	34.1%	3.2%	11.4%
대구/경북	2.4%	18.5%	40.8%	18.9%	9.0%	10.4%
호남	4.9%	8.8%	37.6%	37.7%	4.1%	6.9%

*데이터앤리서치 조사(국민정책연구소 의뢰). 2018년 1월 조사

*표6) 여론조사 응답자들의 이념 분포(단위 %).

	응답자 전체 이념성향 응답				무당층 분포	무당파 중에 이념성향		
	보수	중도	진보	모름/무응		보수	중도	진보
2017년 6월 통합	22.9%	29.0%	35.2%	12.9%	20%	23%	21%	9%
2018년 1월 통합	25.9%	27.2%	33.0%	13.9%	27%	30%	28%	14%
2020년 9월 통합	23.1%	32.1%	27.2%	17.6%	30%	24%	35%	14%

*인용자료 출처 : 한국갤럽 정례조사
*무당층은 문재인 정부 후반기로 갈수록 많아지고 있으며 무당층 안에 이념성향에서
 '중도'와 '모름/무응답'이라고 한 응답자가 많아지고 있음.

민주당을 지지해줄 유권자가 다수이지만,
이념적으로는 진보와 중도가 섞임

  문재인 정부가 출범하고 8개월째인 2018년 1월에 조사된 여론조사들을 보면 중도층이 27~29%정도로 형성되어 있고, 진보층은 33~38%, 보수층은 25%대로 나타난다.

  서울지역은 전체 응답과 비교하여 중도는 비슷했고 진보층은 40%가 넘었다. 보수층은 26%대였다.

  '표2'를 보면 2020년 9월 현재 60세 이상의 유권자 분포가 27.8%이고, 30대부터 50대까지의 인구분포는 54.2%이며, 20대까지 합하면 50대 이하의 분포는 69.6%이다.

  이처럼 민주당 성향을 보이는 세대의 인구분포가 절반을 넘었고, 20대까지 포함하면 70%에 가깝다.

  하지만 여론조사에서 이념분포는 진보가 33~35%정도(서울은 40%)에 불과하다.

20대부터 50대까지 모두 민주당을 선택하는 것은 아니지만, 더 확실한 것은 진보 성향의 비율 역시 그리 높지 않다는 점이다.

　이유는 중도층에 있다. 중도층은 문재인 정부 초창기에도 29%대였고 현재도 27%선 이상을 유지하고 있다. 20대인 Z세대는 중도 성향이 강하다. 30대(Y세대)와 40대(X세대), 50대(586세대)도 민주당 성향이 강하기는 하지만, 이념적으로는 진보보다 중도가 더 많을 것으로 추정한다.

　중도계층의 증가는 시기와 정권에 따라 그 원인과 유형이 다르다. 다만, 정권 후반기에 중도계층이 증가하는 것은 자연스럽다.

　유권자들이 차기 정권을 선택하기 위해 다시 재정열하는 과정으로 볼 수 있다. '모름/무응답'이 증가하는 것도 시기와 정권에 따라 그 유형이 다르다.

　'중도'라고 답한 응답자들이 보수에서 이동해왔든 진보에서 이동해왔든 무엇이거나 본인은 '중도'라고 확실히 선을 그은 것이다. 하지만 '모름/무응답'은 갈등을 하고 있는 응답층이거나 자신의 이념성을 보이기가 싫은 응답층이다.

　그 이유는 여러 가지가 있겠지만, 앞선 다른 항목에서 선택한 응답의 내용과 자신의 이념 선택 사이에서 발생하는 괴리 때문일 수도 있고, 자신이 속한 정치이념의 세력(정당)에 대한 실망감 때문일 수도 있다.

　어찌 되었든, 현재 눈여겨볼 만한 다른 점은 문재인 정부 집권 후반기로 갈수록 중도층과 무당파가 늘어나고 있다는 것이다. 그러나 보수층은 시기마다 약간의 증감은 있지만, 증가 추세를 보이지 않고 있다. 2020년 11월 현재 문재인 정부 평가가 하락함에도 국민의힘이 올라가지 못하는 원인이다.

　결론적으로 이제까지 민주당 성향을 보이던 유권자들이, 보수정당으로 선회하기는 쉽지 않아 보인다. 그러나 민주당을 지속해서 지지할 것인지는 의문이다. 유권자들이 지지를 철회하는 방법은 여러 가지가 있다. 그러므로 21대 총선처럼 절대적인 민주당 우위의 정치지형은 쉽지 않아 보인다.

　앞서 기술했듯이, 새로 유권자로 편입 중인 2000년대 태생들과 Z세대, 그리고 Y세대 중 일부(지금의 30대 초반의 연령대)는 새로운 정치지형을 바라고 있다. 이들은 대규모의 집단적 바람을 형성할 가능성이 크다. 이들은 중도성향이지만, 기존의 중도계층과는 다르다. 새로운 패러다임의 정치·이념 성향을 보이는 신세대들이다.

　지금 당장 '국민의힘'을 선택할 여지는 없어 보이지만, 민주당에 대한 판단 역시 다시 생각할 가능성이 크다. 민주당은 다시 새로운 선택을 위한 경쟁을 준비해야 한다. 특히 2022년 대선을 위해서는 문재인 정부와의 확실한 차별화가 필요해 보인다. 현재의 4050세대는 민주당에 대한 지지가 크게 변하지 않을 가능성이 높지만, 2030세대와 2000년대 태생들은 다르다.

　신세대들에게 문재인 정부는 과거 보수정권과 크게 다를 바가 없어 보일 것이다. 비슷하게 불공정했고, 비슷하게 정치·이념적인 갈등을 불러왔고, 나아진 것이 없기도 비슷하다. 오히려 불공정 문제를 풀어줄 것이라는 기대가 컸던 만큼, 그러지 못한 것에 대한 실망이 더 클 수도 있다. 그렇다면 신세대들은 다른 선택 또는 새로운 판단을 할 수 있다.

신세대들이 보여줄 정치·선거에 대한 판단기준과 행동은 4050 기성세대들과 다를 것이다. 그러니까 신세대다. 기성세대와 별다른 차이가 없다면 신세대라는 표현을 할 필요가 없을 것이다. 민주당이 정권연장을 하려면 문재인 정부와의 차별성을 얼마나 자연스럽고 적절하게 가져가느냐가 관건일 것이다.

중도층과 무당파의 증가, 민주당의 위기일까?

중도층과 무당파의 증가. 보수 정당(국민의힘)에 대한 불신

대부분의 정권은 집권 후반기로 갈수록 지지율이 떨어지고, 집권 여당의 지지율도 낮아진다.

역대 정부 중에 집권 4년차의 국정운영 평가를 비교해보면, 문재인 정부의 지지율이 매우 높게(가장 높게) 나타났지만, 문재인 정부도 집권 초반기와 중반기의 높은 지지율만큼은 아니다.

2020년 12월 철옹성 같았던 문재인 대통령 국정평가가 30%대로 떨어지기 시작했다.

이렇듯 어느 정권이든 집권 후반기에는 정부를 지지해주던 이념적 계층이 중도로 빠져나가고, 그동안 중도에 머물고 있던 일부가 반대쪽 이념으로 이동한다. 그런데 문재인 정부 4년차인 2020년 10월까지만 해도, 여론조사 응답자들은 보수로 이동하고 있지 않았다. 보수세력(정당)에 대하여 강한 반감을 갖고 있는 Y세대와 X세대, 586세대가 유권자의 다수를 이루고 있기 때문이다.

20대인 Z세대는 304050 연령대의 세대보다는 민주당 성향이 약하고 중도성향을 강하게 보이지만, Z세대라고 보수 세력(정당)이 나아보이지 않는 것은 마찬가지일 터이다.

노년층은 문재인 정부가 잘하든 못하든 보수정당만을 지지한다. 그러므로 보수정당의 지지율이 다시 반등하려면 중도계층이 지지를 해줘야하는데, 현재 중도성향을 보이는 2030세대는 절대로 보수정당을 지지하지 않고 있다. 민주당에 대한 지지를 철회하더라도 무당파로 남아 있을 뿐이다.

무당파와 중도층이 늘어나고 있다는 점은, 분명히 민주당에게 위기상황이다. 그렇다고 보수정당(국민의힘)에게 기회가 되어주지도 못하고 있다. 민주당 성향의 유권자들이 다수를 이루고 있고 이들은 잠재적으로 지속해서 민주당을 지지하겠지만, 민주당이 못 할 경우에는 언제든 지지를 미룰 수도 있다. 하지만 국민의힘을 택할 가능성은 매우 희박해 보인다. 국민의힘의 고민은 바로 이런 점에 있다.

진보적인 유권자가 절대 다수가 아님에도, 민주당은 우세한 정치지형을 점하고 있다. 민주당이 중도정당이기 때문에 가능한 것이다. 이는 정당별 지지자들의 이념성향을 보면 쉽게 확인이 된다. 민주당을 지지하는 사람들의 다수가 중도계층이다.

민주당은 중도주의 정당, 민주당 지지층도 최소한 40% 이상이 중도

모든 분야의 상식을 하나로 연결하여 쉽게 풀이해준 『지대넓얕(지적 대화를 위한 넓고 얕은 지식. 채사장 지음)』을 보면, '세계적 관점에서의 일반적인 보수정당과 진보정당의 이념적 구분'을 우리나라 정당들에 적용해볼 경우 '그림2'와 같다고 한다.

'그림2'를 보면 민주당은 진보성향의 정당이 아니다. 중도보수라고 해도 될 정도이며, 중도보수까지는 아니라고 해도 최소한 중도성향의 정당이라 해야 할 것이다.

*그림2) '지대넓얕'에서 설명한, 세계적인 관점에서 볼 경우
  우리나라 정당의 이념좌표

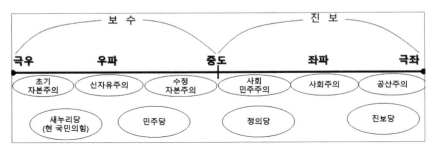

*인용자료 출처 : 『지적 대화를 위한 넓고 얕은 지식』 (채사장 지음, 출판사 웨일북)
*『지대넓얕』의 저자는 세계적인 관점에서의 이념지형을 우리나라의 정당에 적용할 경우,
  현재의 민주당을 중도보수적인 정당으로까지 볼 수 있음을 암시했다.

그렇다면 민주당을 지지하는 계층의 이념성향은 실제로 어떨까?

한국갤럽 정례조사 중 2020년 9월 통합 조사에서(민주당 정당 지지율 38%) 민주당을 지지하는 사람들 중에 이념성향을 재배열해보았다 (38%를 100으로 하고, 지지자들의 이념성향별 분포를 100에서 나누어 재배치함). 민주당을 지지하는 사람 중에 보수층이 10.5%, 중도층이 30.0%, 진보층이 47.2%, 모름/무응답 12.3%로 나타났다.

민주당을 지지하는 이념 성향 계층에서 진보층은 절반이 되지 못했고, 중도층은 딱 30%였다. 모름/무응답 12.3%까지 고려하면 뚜렷한 이념성향을 보이지 않는 계층이 42.3%로 진보층과의 차이는 4.9%p에 불과하다. 보수층과 중도층만 합하면 40.5%이다.

한 마디로 민주당은 중도층과 진보층이 함께 지지하는 정당이라는 얘기다. 그런 민주당이 중도층에게 지지를 받기 위해 중도적 입장과 정책을 보여야 하는 것은 매우 당연한 얘기다. 실제로 민주당

은 진보를 명시하지 않았다. 민주당의 당 강령에는 '진보'라는 이념적 용어가 전혀 없으며, "다양성, 비례성, 통합성이 조화를 이룰 수 있는 포용적 정치제도를 지향한다."고 되어 있다. 이는 중도주의를 표방한 것이나 다름없다. 해석에 따라 중도보수로 볼 수도 있다.

민주당은 진보정당이 아니라 중도주의 정당이고, 아직 세력이 약한 정의당을 대신하여 진보계층의 지지를 대신해서 받고 있다. 이 점이 바로 민주당 우위의 정치지형이 될 수 있었던 원인이다. 중도 및 중도보수 성향의 유권자들이 민주당을 지지해주는 바람에 현재와 같은 민주당 우위의 정치지형이 완성된 것이다. 그리고 이들 중도층은 국민의힘을 신뢰하지 않고 있다.

단편적인 결과이기는 하지만, 2020년 12월 현재까지도 중도층은 보수정당을 염두에 두지 않고 있다. 한국갤럽의 2020년 12월 2주차 정례조사 결과를 참고해보겠다.

이때는 코로나19가 확산되어 일일 확진자가 1천 명을 앞두고 있었고 공수처법 논란 및 법무부장관과 검찰총장의 갈등 등으로 인해 문재인 대통령이 국정혼란에 대한 사과를 할 정도로 민주당과 문재인 정부 입장에서 좋지 못한 환경이었다. 그로 인해, 대통령 평가가 30%대(38%)로 하락했고, 부정비율이 최고치에 달했으며(54%), 민주당 지지율이 점진적으로 하락 추세에 있었다.

그래서인지 응답자 중 진보층은 23.3%, 중도층은 32.9%, 보수층은 24.0%, '모름/무응답'은 19.8%로 나타났다. 진보층이 눈에 띄게 감소했으며 '모름/무응답'이 20%에 가까워졌다. 조금씩이기는 하지만 중도층 역시 두터워지고 있었다.

그런데 중도층은 여전히 국민의힘을 지지하는 데 주저하고 있었다. 국민의힘의 정당 지지율은 21%였는데, 중도층 중에서는 17%에 불과했다. 민주당을 지지하던 중도층이 대거 이탈하기 시작했지만 무당파(37%)로 이동할 뿐, 국민의힘으로 이동하지 않았다. 무당파를 제외하면 중도층은 여전히 민주당(중도층 지지율 35%)을 가장 많이 지지하고 있었다.

중도층은 문재인 정부에 대한 평가가 떨어지는 순간에도 '설사 무당파가 될지언정, 보수정당(국민의힘)을 지지하지는 않겠다.'는 의향을 보여준 것이다.

2020년 12월 현재, 국민들은 '문재인 정부가 그리 잘하고 있지 못하다.'라는 평가를 하고 있다. 여론조사 결과가 그 현실을 보여주었다. 야당으로선 그런 정부여당을 공격하는 일이 당연하다. 그것이 정치다. 그럼에도 국민의힘이 그 흔한 반사효과 하나 얻지 못하는 이유가 무엇 때문일지 각성해야 한다.

국민의힘 일각에서는 문재인 정부를 두고 '독재국가', '입법 독주' 등 험한 표현을 한다. 그런데 불과 몇 년 전에 그보다 더한 모습을 보였던 것이 바로 '국민의힘'이었다.

그에 대한 사과와 단절부터 하자는 당 지도부를 향해, 국민의힘 내외에서 비난의 목소리가 나오고 있다. 최소한 자신들에게 묻어 있는 똥은 닦아놓고 겨 묻은 개를 나무라야, 보는 사람들이 조금이라도 인정해주지 않을까 싶은 생각이 든다.

문재인 정부와 민주당의 착각

야당의 기회는 야당이 아니라, 정부여당이 만들어줄 가능성이 높아졌다. 문재인 정부와 여당인 민주당이 상당한 착각을 하고 있다는 것이다.

　문재인 정부에서의 경제가 좋지 않지만, 중간선거 성격인 21대 총선의 결과가 좋았고 대통령 국정평가가 유례없이 좋았다. 그 이유가 코로나19 덕인데, 대통령과 청와대 그리고 민주당은 그러한 점을 망각하고 지나친 이념몰이와 정치적 사안에만 매달렸다. 그런 과정에서 경제와 민생은 더욱 악화되었다.

　결국 2020년 11월부터 대통령 평가와 여당 지지율이 하락했다. 집권 4년차 지지율이 역대 정부들의 지지율과 비교해 상당히 높았고, 여당이 승리하기 쉽지 않은 중간선거(21대 총선)에서 여당이 대승을 거두었던 이유를 잘못 해석한 것이다. 적폐청산을 한다며 무수한 '내로남불'의 사례를 남겼고, 경제는 악화일로다. 그럼에도 대통령 평가와 여당 지지율이 높으니, 특유의 이분법적 관점에서 정치적 사안에만 매달리고 있는 것이다.

　그런 이유로 유권자 중에 다수를 점한 '민주당 성향 유권자' 연합에서, 2030의 젊은 세대는 진작 이탈을 하였고 50대도 이탈 중이다. 지역적으로 보면, 절대적인 지지를 보여주었던 호남에서도 이탈 조짐이 보이기 시작했으며, 세대별 특징이 잘 드러나는 서울과 경인 지역에서 나빠지기 시작했다.

　국민의 관심은 이념이 아니라 경제다. 민심은 좌우대결이 아니라, 민생으로 움직인다. 문재인 정부는 '검찰개혁'이라고 했지만, 국민의 눈엔 '주도권 싸움'으로 보일 것이다. 검찰개혁이 검찰총장 자리 하나 몰아내고 지키는 것으로 완성되는 것도 아니다.

개혁은 제도와 시스템을 통해 시도해야 하는데, 사람들끼리만 싸우고 있으니 누가 그것을 개혁이라고 보아줄 수 있을지 의문이다. 더 큰 문제는 경제인데 경제라도 잘해 놓고 한다면 모를까, 검찰개혁은 국민이 경제와 민생문제만큼 체감할 수 있는 얘기가 아니다.

　코로나19의 방역 성공이 문재인 정부의 나쁜 경제실적을 잠시 가려주는 신기루가 되었다. 코로나 위기를 벗어나면 경제성과에 대한 평가를 따지지 않을 수 없을 것이다. 경제문제가 지금 당장은 대두되지 않지만, '보이지 않는 위험'이 되고 있다. 경제문제는 뒤에서 다룰 것이므로 잠시 일단락하고 접어두겠다.

중도층은 왜 국민의힘을 지지하지 않을까?

밀물처럼 빠져나간 중도층은 국민의힘으로 다시
돌아가고 싶어 하지 않아

*표7) 19대 대선 당시 후보별 지지층의 이념성향
　　　(어느 후보에게 투표하겠나?/했나?)

	문재인	홍준표	안철수	유승민	심상정
전체 응답률	**43.1%**	22.3%	19.6%	7.1%	7.3%
보수층 응답률	18%	**51%**	18%	9%	2%
중도층 응답률	**46%**	12%	25%	10%	7%
진보층 응답률	**64%**	4%	15%	5%	11%
모름/무응답	**34%**	33%	22%	3%	7%

*인용자료 : 한국갤럽 2017년 5월 7~8일 조사결과 자료(5월 8일 공표). 투표율 75%가정.
　　　　　유보층 배분. 95% 신뢰수준 표본오차 ±2.2%p. 조사완료 사례 수 2,030명
*응답자 중 분포. 보수 25.0%, 중도 26.6%, 진보 33.1%, 모름/무응답 15.3%

　19대 대선 당시 여론조사를 보면 투표 1달 전부터 많은 변화가 있었지만, 언론 공표가 가능한 마지막 여론조사 결과는 실제 결과와 유사했다.
　여론조사 결과가 실제 결과와 크게 다르지 않았고, 대선을 앞둔 1달 동안 응답자들의 심경이 많이 변화했다는 것이다. 그러므로 대선 전 마지막 조사에서의 계층별 응답이 실제 투표에서 후보를 선택했던 계층과 상당히 유사할 것이라는 추론을 할 수 있다.

　실제 투표를 한 유권자와 마지막 여론조사 응답층의 성향이 비슷

할 것으로 가정하고, 마지막 여론조사에서 후보를 지지했던 계층을 살펴보겠다. 어떤 후보에게 어떠한 이념성향의 계층이 투표를 했는지 유추해 볼 수 있다.

문재인 후보는 보수층을 제외한 모든 이념성향 계층에서 가장 높은 선호를 보였다. 특히 중도계층에서 중도주의를 표방한 안철수 후보보다 21%p나 높은 선호를 받았다. 문재인 후보는 진보계층의 결집도 받았지만, 중도계층에서도 절반에 가까운 지지를 받았다.

19대 대선에서 중도성향 계층의 선택은 문재인 후보였다. 보수정당 후보인 홍준표, 유승민 후보를 선호한 중도계층은 합하여 22%에 불과했다. 19대 대선에서 중도계층은 보수정당을 외면했고, 민주당 후보인 문재인 후보에게 중도 중심의 시대를 열어달라는 기대를 몰아준 것이다.

'19대 대선 직후'와 '21대 총선 후 국민의힘의 지지율이 가장 높았을 때', '2020년 국감이 한참일 때' 등 3개의 시점에 나타난 정당 지지율과 이념성향을 보면 중도성향 계층의 이동이 확연하게 보인다.

대선 직후인 2017년 6월 통합조사에서 민주당은 49%로 매우 높은 지지율을 보이고 있다. 이는 진보계층의 절대적인 지지와 함께, 전체 중도계층 중 절반에 가까운(48%) 지지를 받은 덕분이다.

21대 총선 후 국민의힘(미래통합당)의 지지율이 가장 높았던 8월 2주차 당시, 민주당은 중도계층이 선택한 정당 중에 가장 높았으나(31%), 문재인 정부 출범 직후 절반에 가까운 지지를 보였던 중도계층의 상당수가 빠져나가는 바람에 정당 지지율도 하락한다.

민주당은 10월 2주차에서 전체 지지율이 38%였는데, 중도계층의 지지율도 38%였다. 아마 중도계층에서 더 높은 지지를 받았다면 40%대 회복도 가능했을 것이다.

8월 2주차에서 국민의힘(당시 미래통합당)은 그동안 지지를 하지 않았던 중도계층이 일시적으로 지지를 해주는 바람에(24%) 전체 지지율이 27%까지 올라갔다. 그러나 10월 2주차에는 중도계층의 지지가(14%) 빠지면서 전체 지지율도 20%대 아래로 내려간다.

국민의힘은 8월 2주차 당시 문재인 정부의 부동산 대책 논란으로 인해 일시적이나마 중도계층이 이동하여 혜택을 받았으나, 중도계층은 아무 일도 한 것이 없는 국민의힘에 대한 지지를 이내 거두었다.

*표8) 정당 지지도에서 이념성향, 무당파 이념성향

		민주당	국민의힘	무당파
2020년 10월 2주차 조사	전체 지지율	38%	18%	31%
	보수층	23%	43%	22%
	중도층	**38%**	**14%**	**35%**
	진보층	**61%**	2%	19%
	모름/무응답	26%	15%	53%
2020년 8월 2주차 (21대 총선 이후 국민의힘 지지율 최고점)	전체 지지율	33%	27%	27%
	보수층	16%	55%	20%
	중도층	**31%**	**24%**	**29%**
	진보층	**57%**	8%	15%
	모름/무응답	25%	19%	50%
2017년 6월 통합 (대선 직후)	전체 지지율	**49%**	9%	20%
	보수층	26%	25%	23%
	중도층	**48%**	**5%**	**21%**
	진보층	**69%**	2%	9%
	모름/무응답	36%	10%	43%

*자료 출처 : 한국갤럽 정례조사

국정농단 무효를 외치는 세력의 눈치를 보는 정당을 중도계층이 어떻게 지지하나?

중도계층은 왜 이토록 보수정당을 외면하는 것일까?

중도계층은 이미 20대 총선에서부터 무능한 모습을 보인 박근혜 정부와 (당시)새누리당에 대한 지지를 거두었다. 그렇다고 민주당을 바로 선택한 것도 아니다. 당시 민주당은 새누리당보다 딱히 더 나은 것이 없었기 때문이다. 그래서 중도계층은 중간지대를 우회해서 민주당으로 옮겨간 것이다. 그 중간지대가 바로 중도주의를 표방한 '(2016년 당시)국민의당'이었고, 그 결과가 20대 총선이었다.

이후 중도계층은 박근혜 정부의 국정농단으로 촛불시위가 이어지자 확실하게 보수정당과 보수정권을 떠나버렸고, 아직까지 보수정당에게 눈길조차 주지 않고 있다.

여론조사 결과가 이를 증명해주고 있다. 중도계층은 2016년부터 새누리당을 빠져나간 후 보수정당으로 돌아올 기미를 보이지 않고 있다. 이유는 간단하다. 2016년부터 국민의힘(전신 새누리당/자유한국당/미래통합당)이 잘한 것이 하나도 없기 때문이다.

야당과 보수언론이 그토록 열망하는 정권 후반기의 레임덕을 위해 문재인 정부를 흔들고 있지만, 정작 자신들의 눈만 흔들리고 있는 것 같다. 객관적으로 사회와 세상을 보지 못하는 것 같다. 한국의 코로나19 방역과 대처는 성공적으로 진행되고 있고 세계가 극찬하고 있다. 보수세력은 이 점을 인정하고 싶지 않겠지만 이것이 현실이고 사실이다.

국민의힘은 소수의 극성세력에 끌려 다니면서 내부 정치 논리와 이념논쟁에만 치중하며 과거와 다르지 않은 모습을 보여주었다. 중도계층은 그러한 국민의힘에게 돌아가지 않을 것 같아 보인다. 그나마 김종인 위원장 영입 이후부터 완만하게 상승했지만, 중도계층의 지지가 지속되지 않으면서 다시 20% 아래로 떨어졌다. 한때 상승을 했다가도 다시 떨어지기를 반복하고 있다. 지지율이든, 정권교체든, 총선 승리든, 중도계층의 선택 없이는 불가능하다는 사실이 확인된 셈이었다.

지난 12월 15일에 김종인 국민의힘 비상대책위원장이 이명박-박근혜 정부에 대한 사과와 반성의 입장을 내놓았다. 당연한 일이지만 너무 늦었다. 지난 2017년 대선 때 이미 했어야 할 사과였지만 그것을 제때 하지 못해서 21대 총선과 같은 결과를 얻은 것이다.

중요한 점은 비대위원장의 사과만으로 끝나서는 안 된다. 당 내·외에서 사과에 대한 불만과 반대의 입장이 나오고 있다.

그런 반발에 대해서 어떠한 모습을 보일 것인지, 그리고 김종인 위원장 퇴임 이후에도 지속적으로 사과와 반성의 입장을 보일 것인지, 또한 당내 대권주자들의 입장은 명확하게 어떠한지 등도 보여주어야 한다. 일회성이 아니라 뼈저린 반성을 하고 있음을 보여주어야 한다. 그러지 않고는 지지율 반등이나 다가올 선거에서의 승리는 여전히 요원할 가능성이 크다.

국민 앞에서 계속 사과하고 반성하며 과거와 단절해야 한다. 그래서 중도계층은 물론이고 보수층으로부터 다시 신뢰를 받을 수 있도록 해야 한다. 21대 총선과 같은 결과를 다시 반복하지 않으려면, 과거에 대한 반성과 함께 과거와의 단절부터 철저하게 짚고 넘어가야 할 것이다.

보수정당 단독의 승리나 의회 과반은 과거의 얘기

2020년을 기준으로, 10년 전인 2010년(제5회 지방선거)과 20년 전인 2000년(16대 총선) 당시의 연령별 분포와 투표율, 정당별 득표율 등을 비교해보면 변화된 민심을 알아볼 수 있다. 이제는 보수정당이 승리하기가 쉽지 않은 환경이 되었음을 확인할 수 있다.

20년 전인 2000년은 현재의 X세대가 20대, 586세대는 30대였다. 민주당 성향의 유권자들이 수적으로 소수였다. 보수 우위의 정치지형과 보수 중심의 사회였다. 그 10년 후인 2010년에는 Y세대가 20대였고, X세대는 30대가 됐으며, 586세대가 40대였다. 민주당 성향의 유권자들이 그 이전 세대보다 수적인 우위를 차지하기 시작했다. 그러나 민주당 성향 유권자들의 투표율은 50%를 넘지 못했다.

좀 더 자세히 들여다보며 설명해보겠다.

20년 전인 2000년 16대 총선 당시, 민주당 성향의 유권자는 전체 유권자 분포에서 절반 정도를 차지했다. X세대(20대)와 586세대(30대) 인구분포의 합이 49.7%였다. 숫자와 비율만 봐도 보수성향 세대를 넘지 못했다.

당시만 해도 중앙선관위가 연령별 투표율 등을 조사하지 않아서 투표율을 자세히 알아볼 수가 없다. 그래서 연령별 투표율을 조사했던 가장 과거의 사례를 참고해보면, 당시에 2030세대의 투표율은 앞선 세대의 투표율보다 많이 낮았을 것으로 추정된다.

16대 총선 당시는 비례선거를 별도로 진행하지 않고, 지역구 선거 전체 득표율로 전국구 국회의원을 배분하였다. 정당별 득표율에서 한나라당(현 국민의힘)은 단연 1위(39%)였다.

여당연합과 야당으로 나눈다면, 당시 연합정부를 구성했던 (여당) 새천년민주당과 지역정당인 자민련의 득표율 합이(35.9+9.8) 한나라당보다 높았다. 하지만 이념적으로 표를 나눈다면, 자민련이 일정 정도의 보수 표를 잠식했으므로, 보수 표는 득표율 기준으로 45% 이상 분포했을 것으로 보인다.

자민련은 연합정부의 한 축을 맡았지만, 선거에 들어서는 야당 본색을 드러내며 독자화한 전략과 충청지역 기반 그리고 일부 보수 표를 얻기 위한 캠페인으로 10%에 가까운 득표율을 보였다. 그러나 득표율 16.2%로 50개의 의석을 확보했던 15대 총선 당시와 비교하면 매우 저조한 성적이었고, 이후 17대 총선에서는 지역구 선거에서 4석을 얻는 데 그치며 몰락하였다.

16대 총선은 보수 성향에 지역정당인 자민련이 몰락하는 과정에 있었으며, 자민련의 몰락과 함께 보수 우위의 시대 역시 끝나가고 있었다. 어찌 되었든, 20년 전인 16대 총선만 하더라도 세대별 특성에 따른 결과보다는 지역구도와 보수 강세라는 기본 지형에서, 세력 간 연합이나 대립에 의한 정치 형태를 보였다.

10년 전인 2010년 제5회 지방선거는 Y세대(당시 20대 연령)가 유권자로 편입되어, 민주당 성향 유권자 연합의 비율이 전체 유권자 중에서 63.4%를 차지했다. 수적으로 보수성향의 세대를 앞선 것이다. 그러나 이들 세대의 투표율은 586세대(당시 40대)가 55%였고, 그 이후 세대는 모두 50%도 되지 않았다. 민주당 성향의 세대가 수적으로 많았지만, 투표를 적극적으로 하지 않았다.

그럼에도 수적으로 높은 비율을 차지했기에, 경상도 지역을 제외한 대부분의 광역의회에서 민주당이 과반 이상을 차지했고, 민주당 소속의 광역단체장을 다수 배출할 수 있었다.

10년 전의 정당별 득표율을 보면 양당의 득표율은 20년 전과 크게 다르지 않았다. 한나라당은 39%대, 민주당은 35%대였다. 그러나 20년 전에 득표율이 1.2%에 불과했던 진보계열 정당은 10년 후에 비약적인 상승을 하였다.

2010년 5회 지선에서 민노당과 진보신당, 국민참여당 등 진보정당들의 득표율 합이 17.13%이었다. 반면, 보수성향의 지역정당인 선진당은 4.53%, 군소 보수정당인 친박연합은 1.8%였다. 보수정당들의 득표율은 눈에 띄게 줄어들었다. 10년 사이에 보수계열 정당들의 득표율 합은 감소되었고, 민주당 및 진보계열 정당들의 득표율 합은 매우 큰 폭으로 상승했다.

2010년 당시 민주당 성향 유권자들의 민주당에 대한 믿음이 부족했던 것을 고려한다면, 민주당이 아닌 진보계열 정당들을 대안으로 선택했을 것으로 보인다.

20년 전 보수 계열 정당들의 득표율 합은 48.8%였고 민주계열 및 진보계열 정당들의 득표율 합은 40.8%였다. 확실하게 보수 우위의 시대였다. 그러나 10년이 지난 2010년에는 보수 계열 합이 45.16%였고, 민주계열 및 진보계열 합은 52.23%로 절반을 넘어섰다.

민주당 성향 유권자들의 투표율이 낮은 편이었지만, 유권자 비율이 63%를 넘는다. 수적 우세라는 기본적인 지형에 영향을 받은 것이다. 보수 우위의 시대가 끝났음을 알린 셈이다. 유권자 지형은 이미 10년 전에, 보수 우위에서 민주당 우위로 변했다.

* 참고 자료 1

○ 20년 간 연령대별 선거인 수 및 연령대 별 투표율 비교

	연령대별 선거인 수 분포			연령대 별 투표율		
	2000년 16대 총선	2010년 5회 지선	2020년 21대 총선	2000년 16대 총선	2010년 5회 지선	2020년 21대 총선
만 18세			2.5%			67.5%
만 19세		1.7%			47.4%	68.0%
20대 전반	24.4%	17.9%	15.5%		45.8%	58.7%
20대 후반					37.1%	
30대 전반	25.3%	21.4%	15.7%		41.9%	57.1%
30대 후반				자료 없음	50.0%	
40대	21.3%	22.4%	18.9%		55.0%	63.5%
50대	13.2%	17.2%	19.6%		64.1%	71.2%
60세 이상	15.8%	19.4%	27.8%		69.3%	60대 80%
전체	100.0%	100.0%	100.0%	57.2%	54.5%	66.2%

*자료출처 - 2000년&2020년 선거인 수 분포:국가통계포털 자료 참조(연도별 주민등록인구)/ 2010년 선거인 수 분포:중앙선관위 발표자료 인용/2010년&2020년 연령대 별 투표율:중앙선관위 자료 참조

○ 20년 간 주요 정당 비례선거득표율

	국민의힘 계열	민주당 계열	진보당 계열	지역기반 정당 계열	기타 주요정당	
2000년 16대 총선	한나라당	새천년민주당	민노당	자민련	민주국민당	한국신당
	39.0%	35.9%	1.2%	9.8%	3.7%	0.4%
2010년 5회 지선	한나라당	민주당	민노+진보신당	자유선진당	국민참여당	친박연합
	39.83%	35.10%	10.48%	4.53%	6.65%	1.8%
2020년 21대 총선	미래한국당	더불어시민당	정의당	민생당	열린민주당	국민의당
	33.84%	33.35%	9.67%	2.71%	5.42%	6.79%

*자료출처 - 중앙선관위 자료 참조
*2020년 21대 총선은 비례선거 기준. 2010년 5회 지선은 광역비례 전국 합산. 2000년 16대 총선은 지역구 선거 전체 득표율 합(당시 1인 1투표/비례선거 없음)

보수 세력의 집권, 과거 방식으로는 불가능. 새로운 전략 모색해야

최근인 2020년 21대 총선은 민주당 우위의 정치지형을 확인하는 결정판이었다.

민주당 성향 유권자의 비율은 72.2%이고, 이들의 투표율은 과거와 달리 매우 높아졌다. 60대가 80%라는 놀라울 정도로 높은 투표율을 보였지만, 민주당 성향 유권자들의 투표율도 만만치 않았고, 무엇보다 압도적인 수적 우세를 당할 수가 없다.

10년 전만 해도 보수정당의 득표율은 39%대를 유지했다. 그러나 21대 총선에서는 35%대마저 무너졌다. 미래한국당은 33%대의 득표율을 보였다. 민주당 계열 정당은 39%에 가까운 득표율을 보였으며, 진보계열 정당은 10%에 근접했고, 중도를 표방한 정당들의 득표율 합이 9.5%였다. 민주당 계열 정당이 중도 표의 상당수를 흡수했을 것으로 보인다.

보수 세력과 중도계층과의 연합이 2016년부터 깨졌고, 보수 성향 세대의 인구 비율이 점점 낮아져 가고 있다. 보수정당 단독으로 승리할 수 있는 시대가 저물었다는 뜻이다. 보수 성향인 60세 이상의 인구 비율이 27~28% 정도인데, 60대 인구의 투표율이 80%가 나올 정도로 적극적인 투표를 했기에, 보수정당의 득표율이 그나마 33%대까지 나온 것이다. 이제는 보수 단독의 승리나 의석 과반이 가능한 시대가 아니다.

보수 정당은 새로운 전략을 세워야 한다.
일시적인 중도계층 끌어안기만으로는 한계가 있다.

보수정당이 승리할 수 있는 방법은 서구 유럽의 사례에서 답을 찾을 수 있다. 다당제를 통한 연정체제로 보수집권 플랜을 새로 짜고 준비해야 한다. 그것이 불리한 유권자지형을 극복할 수 있는 현명한 방법일 것이다.

물론 그 이전에, 과거 모습의 보수가 아니라 새로운 보수의 모습으로 혁신하는 것이 우선이다. 또한 새로운 인물이 필요하다. 꼰대의 모습을 확실하게 탈피해야 한다. 다양성의 사회를 함께 공감하는 보수, 공정한 사회를 지향하는 보수여야 할 것이다. 보수 세력(정당)의 재도약과 관련한 내용은 제도개혁 편을 통해 자세히 설명할 참이므로 생략하겠다.

민주당 성향 유권자. 그 시작은 '안철수 현상'

현재의 30대부터 50대(586세대와 X세대, Y세대)의 바람이 만든
안철수 현상

현재처럼 민주당이 우세를 점하게 된 정치지형은 2018년에 완성됐다. 그 조짐은 2010년부터 보였으며, 보수정당이 확실하게 뒤처지게 된 시점은 2016년부터였다. 그리고 민주당 성향의 유권자가 다수가 되기 시작한 2010년부터, 보수정당이 우위를 내준 시점(2016년) 사이에 중요한 움직임이 있었다.

바로 안철수 현상이다. 민주당도 새누리당도 아닌, 중도주의 중심의 사회를 기다리는 바람이었다.

민주당 성향의 유권자들은 보수 우위의 지형을 민주당 우위의 정치지형으로 곧바로 바꾸지 않았다. 유권자들 입장에서 2010년 당시의 민주당은 믿음직스럽지 못했다. 그랬기에 2010년 지방선거에서 민주당에게 불완전한 승리를 안겨 주었다.

전반적으로 민주당에게 우세한 결과를 주었으면서도, 가장 중요한 서울시장과 경기지사는 보수정당을 선택했다. 민주당을 향한 지지를 망설였던 것이다. 당시의 민주당은 유권자들에게 확실한 신뢰를 주지 못했다. 그러다보니 민주당은 2011년 서울시장 재·보궐 선거에서 '시민후보'를 표방한 박원순 후보를 내세울 수밖에 없었다. 그에 더해 안철수 현상이 휩쓴 상태에서 민주당이 할 수 있는 것은 보수정당에게 서울시장 자리를 내주지 않는 데 만족하는 정도였다.

당시의 민주당은 무기력했고 무능했다. 10년이 지나도록 주요 선거에서 민주당의 전략은 '단일화'뿐이었다.

따지고 보면, 당시 안철수 현상은 지금의 민주당 우위라는 정치지형을 만들어준 민주당 성향 유권자들의 바람이었다. 그 바람은 결국, 9년간 지속된 보수정권을 버렸다.

민주화 세대와 진보성향 세대가 사회의 주류가 됐고, 보수 사회가 만들어놓은 각종 부조리와 불공정 사례에 분노한 2030세대가 유권자가 되었으며, 이들의 투표율까지 높아지자 보수정당은 더 이상 정치적 우위를 차지하지 못하게 됐다.

한국갤럽은 2012년부터 정례조사를 시작했는데 정례조사 초창기인 2012년 1월 통합조사를 보면, 안철수 현상의 진원지는 2012년 당시 20대와 30대 그리고 일부 40대였다. 이들은 현재 각각 30대(Y세대), 40대(X세대), 50대(586세대)가 되었다.

이들 세대는 2012년 당시만 하더라도 믿음직하지 못했던 민주당과 절대 지지하고 싶지 않은 새누리당. 그 양당이 아닌 새로운 대안을 찾고 있었다. 그것이 '안철수 현상'이었다.

2012년 1월 당시, 무당파가 41%에 달했다. 20대(현재 30대)는 44%나 됐다. 모든 연령대에서 40% 전후로 나타났고, 모든 연령대의 정당 지지도에서 무당파의 비율이 가장 높았다. 그러면서 50대 이상(현재 60세 이상)은 새누리당에 높은 지지도를 보였고 20대부터 40대까지는 민주당을 지지했다.

*표9) 2012년 1월 통합 여론조사 결과(단위 %)

	정당 지지도			주요 대선 후보 지지도			
	새누리	민주통합	무당파	문재인	박근혜	안철수	모름/없음
전체	26	28	41	10	31	28	22
19~29세(Y세대)	18	33	44	10	21	42	19
30대(X세대)	16	37	38	18	19	36	19
40대(86세대)	21	30	41	13	27	32	19
50대	34	23	39	6	45	19	21
60세 이상	40	17	42	2	45	12	32

*인용자료 출처 : 한국갤럽 정례조사

'표9'를 참고해보자. 정당 지지도에서 '무당파'와 주요 대선 후보 지지도에서 '모름/없음'의 차이를 비교해보면, 전체 응답은 41%에서 22%로 19%p의 차이가 난다. 19~29세(현재 Y세대)에서는 그 차이가 무려 25%p나 된다. 30대(현재 X세대)와 40대(현재 586세대)도 크게 차이가 났다. 반면 60세 이상에서는 10%p에 불과했다. 정당 지지는 하지 않지만 대선 후보는 누군가 지지했다는 것이다. 현재 민주당 성향을 보이는 30대부터 50대(2012년 당시 20대부터 40대)에서 특히 그런 성향이 두드러졌다.

20대(현재 30대)는 문재인 후보를 지지한 비율이 10%에 불과했고 안철수 후보는 42%에 달했다. 진보성향이 강한 X세대(당시 30대)는 문재인 후보에 대한 지지가 상대적으로 높았지만(18%), 이들 역시 안철수 후보에 대한 지지가 36%로 두 번째로 높았으며, 문재인 후보를 지지한 비율보다 두 배나 높았다.

현재 민주당 성향을 보이는 연령대 모두 대선 후보 지지에서 안철수 후보를 선택한 비율이 가장 높았다. 이들은 정당 지지에서 '무당파'를 선택한 비율이 가장 높았다.

2012년 19대 총선에서는 새누리당이 승리했고, 18대 대선에서는 박근혜 후보가 승리했다. 민주당 성향 유권자들은 2012년만 하더라도 민주당을 믿지 못했던 것이다. 그래서 2016년 20대 총선에서 대안을 선택했고 그것이 제3당의 선전으로 이어졌다.

민주당 성향 유권자들은 그것에 그치지 않고 직접 나서기 시작했다. 바로 2016년 촛불이었다. 더 이상 보수 우위의 사회와 시대를 그냥 두지 않은 것이다.

그들은 이후 진행된 장미대선에서 대거 민주당으로 넘어오기 시작한다. 2017년 19대 대선에서 마지막 여론조사를 보면, 20대(현재 20대와 일부 30대)는 문재인 39%, 안철수 13%, 없음/유보 16%였다. 30대(현재 30대, 일부 40대)는 문재인 54%, 안철수 15%, 없음/유보 8%였으며, 40대(현재 40대, 일부 50대)는 문재인 51%, 안철수 16%, 없음/유보 9%였다. 50대(현재 50대, 일부 60대)는 문재인 35%, 안철수 18%, 없음/유보 11%였다.

안철수 현상을 만들었던 세대들은 현재의 민주당 성향 유권자들인데, 이들이 2017년부터 민주당(문재인 후보)을 선택하기 시작한 것이다. 그리고 2018년 지방선거와 2020년 21대 총선에서 민주당이 우세한 정치지형을 확실하게 만들어놓은 것이다.

2020년 10월 통합 여론조사를 보면, Z세대를 제외하면 민주당 성향을 보이는 세대(Y세대, X세대, 586세대)는 모두 민주당을 가장 많이 지지하고 있다. 무당파 비율을 넘어선다. 과거 안철수 현상의 진원지였던 민주당 성향 유권자들이 민주당의 정치적 우세를 만들어주고 있는 것이다.

	정당 지지도					
	국민의당	국민의힘	민주당	열린민주	정의당	무당파
전체	4	18	38	3	6	31
18~29세(Z세대)	4	9	31	0	4	50
30대(Y세대)	3	12	44	3	5	32
40대(X세대)	4	11	49	4	7	24
50대(586세대)	3	23	41	4	8	21
60세 이상	4	29	29	3	4	30

*인용자료 출처 : 한국갤럽 정례조사

여기서 언급하고 싶은 두 가지가 있다.

하나는 민주당이 우세한 정치지형은 민주당이 잘해서가 아니라 그동안 보수 우위의 정치지형과 보수적인 사회를 보다 못해, 민주당 성향의 유권자들이 직접 나서서 만들어놓은 지형이라는 것이다.

오죽하면 2016년 당시에 눈치만 보던 민주당을 뒤로하고 국민들이 광장에 직접 나가서 "이게 나라냐?"라고 외쳤겠는지 생각해보면 쉽게 이해가 될 것이다.

다른 하나는, 안철수 현상은 그 명칭에 '안철수'가 들어갔을 뿐이지 정치인 안철수가 만들었거나 또는 정치인 안철수를 지향해서 발생한 현상이 아니라는 점이다.

이제 '안철수 현상'을 보여준 유권자들은 확실한 민주당 성향의 유권자가 되었다. 그리고 정치인 안철수는 보수정당과 보수 세력을 향해 통합(신당)을 주장하고 있다. 뚜렷한 정치철학 없이 무모한 정치 유랑을 계속하고 있을 뿐이다.

민주당 성향에서 이탈하기 시작한 Z세대(20대)

현재의 정치지형에서 민주당이 우세하도록 만들어주었던 민주당 성향 유권자는 20대인 Z세대부터 50대인 586세대까지 폭넓은 연령대에 걸쳐서 형성되어 있다.

그러나 현재는 Z세대가 대거 이탈하기 시작했다.

2020년 10월 통합 여론조사에서 20대의 정당 지지도는 무당파가 50%에 달한다. 18~29세 여성은 무당파 50%, 민주당 31%, 국민의힘 9%였다. 18~29세 남성은 무당파 52%, 민주당 26%, 국민의힘 14%였다. 근소한 차이이기는 하지만 Z세대 남성이 조금 더 많이 이탈했다.

앞서 언급했지만, 이러한 결과를 두고 20대가 보수화되었다고 해석하는 것은 가당치 않은 얘기다. 무당파를 제외하면 여전히 민주당을 지지하는 분포가 국민의힘보다 훨씬 높다. 20대 여성의 경우는 민주당 지지율이 국민의힘 지지율과 비교해 3배 이상 높다. Z세대는 민주당에 대한 지지를 철회했지만 국민의힘을 선택한 것도 아니다. 무당파 비율이 50%가 넘는다는 점이 이를 알려준다.

Z세대인 20대와 3040세대가 바라보는 보수정당(국민의힘)은 다르다.

X세대와 Y세대는 보수정당을 지지할 가능성이 희박하다. 보수정당이 우세한 시대와 사회에서 X세대와 Y세대는 많은 어려움을 겪었다. 그것이 싫어서 촛불을 들면서까지 보수 우위의 사회를 중도 중심의 사회로 바꿔놓았다. 그런데 불과 몇 년도 되지 않아 그런 시

대와 사회로 회귀된다는 것은 악몽이나 다름없다. 더구나 여전히 변하지 않은 현재의 보수 세력(국민의힘)을 보면 더욱 그러하다.

그러나 20대(Z세대)의 입장에서는 다르다.
이들이 사회와 정치에 관심을 갖고 바라보기 시작한 시점은 불과 10년도 되지 않았다. 그러니까 Z세대가 체감하고 기억하는 정치의 절반이 박근혜 정부이고, 나머지 절반은 문재인 정부다. 그 이전까지 보수 우위의 사회와 시대는 이들에게 기억이 아니고 기록일 뿐이다.
이들이 기억을 갖고 정치를 비교하게 된다면 박근혜 정부와 문재인 정부뿐이다. 보수에 대한 뿌리 깊은 불신을 갖고 있는 X세대나 Y세대와는 다르다.
이를 두고 정말로 한심한 해석을 해서는 안 된다.
이들이 이명박·박근혜 정부에서 교육을 받아서 보수적이라는 발언은 아무리 생각해도 너무 어리석은 표현이다. 그렇다면 박정희와 전두환 군사독재 시절에 교육을 받은 586세대와 X세대는 군사정권을 지향하는 세대라는 말이나 다름없는 발언이다.
20대(Z세대)가 민주당을 지지하지 않으니까 이들이 보수화되었다고 판단하는 것은, 아무리 생각해도 제 정신이 아닌 사람의 판단으로밖에 보이지 않는다.

이제 선거를 좌우하는 중도계층은 40~50대가 아닌, 20~30대

10여 년 전만 하더라도, 선거 결과를 좌우하는 연령은 40대의 중도 성향 계층이었다. 그러나 지금은 달라졌다. 이제 스윙보터 세대는 Z세대다. 이들은 중도성향을 확실하게 보인다. 앞으로 선거결과를 좌우하는 세대는 Z세대(현재의 20대)가 될 것이다.

당장 2021년 4월에 진행될 재·보궐 선거와 20대 대선에서부터 이들의 파워가 영향을 미칠 것이다. 어쩌면 현재의 20대와 30대 초반의 세대들은 2011년 당시 '안철수 현상'의 사례처럼, 혁신적인 변화를 바라는 거대한 바람이 될지도 모른다.

2022년 3월에 벌어질 차기 대선은 2004년 3월 7일생까지 투표가 가능할 것으로 보인다. Z세대인 1990년생들부터 2004년 2월생까지 약 15년에 걸쳐 있는 신세대들의 수를 보면 대략 907만 명 정도로 추산된다(국가 통계포털 주민등록 인구).

21대 총선 당시 전체 국민 수는 5,182만 명 정도였으며, 유권자 수는 약 4,400만 명(4,399만 4,247명)이었다. 2020년은 우리나라 인구가 처음으로 감소한 해다. 그러므로 2022년에 인구와 유권자 수가 2020년과 비슷하다고 가정한다면, 20대 대선이 진행될 2022년에 예상되는 유권자(4,400만 명) 중 Z세대를 포함한 신세대들(907만 명)은 전체 유권자 중에서 20.6% 정도가 된다.

21대 총선 당시 만 18세의 투표율은 67.4%였고 만 19세는 68%였으며, 20대의 투표율은 58.7%였다. 앞선 선배 세대들이 보였던 생애 첫 투표 당시의 투표율과 비교하면 신세대들은 매우 높은 투표율을 보여주었다. 이는 작은 것이라도 참여를 통해 실천하는 Z세대와 2000년대 태생들의 특징이 나타난 것이다.

이들 신세대들은 앞으로도 앞선 세대들과 달리, 높은 정치참여와 투표율을 보여줄 것으로 예상된다.

19대 대선에서 전체 투표율은 77.2%였다.

1990년부터 2004년까지 대략 15년에 걸쳐 태어난 신세대들 숫자가 907만 명이고, 이들이 20대 대선에서 19대 대선 때의 전체 투표율 정도만 기록해도 대략 700만 표가 된다. 19대 대선에서 유효표가 3,280만 표였는데, 이 중에 700만 표는 전체 득표율 중 21.3%에 해당한다.

다시 말해, 이들 신세대들은 다가올 20대 대선에서 엄청난 영향력을 갖춘 스윙보터 집단이라는 의미다. 여기에 80년대 중후반에 태어난, 30대 초중반 연령의 일부 Y세대까지 더한다면 더욱 막강한 바람이 되어 2022년 대선지형을 좌지우지할 것이다.

누차 말했지만, 이들은 실천하는 세대이고 투표율이 높은 세대다. 그리고 중도−실용적이고 정당과 이념에 치우치지 않는 특성을 갖고 있다. '내로남불'로 표현되는 문재인 정부와 민주당에 대한 지지를 거두었지만, 그렇다고 '꼰대' 서러움이 짙은 보수정당을 선택하지도 않고 있다.

이들은 공정과 평등을 바라는 거대한 바람을 갖고 있는 세대들이다. 현재까지 이런 바람을 채워준 정당은 없었다.

문재인 정부에서의 불공정은 오히려 심화된 상황이다. 과거 박근혜 정권은 불공정과 불평등을 상징하는 권력이었으며, 그로 인해 탄핵을 당해 몰락한 정권이었다.

그러므로 이들은 각 정당과 대선 주자들에 대한 선택을 처음부터 다시 시작할 것이다. 그리고 이들의 선택을 받은 대권주자와 정당이 (20대 대선에서) 마지막에 웃는 승자가 될 가능성이 매우 크다.

Z세대가 여전히 민주당 성향 유권자의 한 축으로 유지될지, 아니면 스윙보터 집단으로 빠져나갈지는 민주당과 차기 대권주자들의 자세에 달렸다. 문재인 정부가 보여준 '내로남불'의 입장을 비판하며 바로잡고, 합리적인 선택과 공정을 위한 절제력을 보여주어야 다시 민주당을 선택하게 될 것이다.

  20대(Z세대)가 느끼는 불공정 사례를 이해하지 않으면서 운동권 특유의 이분법적 논리로만 봐서는 Z세대를 이해할 수가 없다. 이해는커녕, 이들과 대화조차 되지 않을 것이다. '20대의 보수화' 얘기처럼, 또 다른 엉터리 얘기만 계속할지도 모른다.

  참고로 '20대의 보수화'처럼 엉터리 논리 중의 하나가 바로 '기울어진 운동장' 이론이다.

이제는 보수 중심에서 중도 중심 사회로

한국사회는 '보수 중심→중도주의 중심', 민주당이 수혜

필자는 본격적으로 글을 쓰기 시작한 2015년부터 당시 야권 정치인이 핑계처럼 되뇌던 '기울어진 운동장' 이론을 기회가 될 때마다 지적하고 비판했다.

필자는 우리나라 정치지형은 절대로 보수나 진보 어느 한 쪽으로 기울어지지 않았다고 주장해왔다. (당시)야당 정치인이 그런 말을 하는 것은 전략과 능력이 부족해서, 선거에 져놓고 그것을 외면하려는 핑계에 불과하다는 점을 누차 강조했다.

결국 분노한 다수의 민주당 성향 유권자들이 20대 총선에서 보수정당을 과반 이하의 제2당으로 밀어냈고, 이어서 촛불혁명과 정권교체 그리고 21대 총선을 통해 보수정당을 확실하게 밑으로 내려놓았다. 민주당이 잘해서가 아니라, 달라진 유권자 지형 덕분이다.

정치권 일부와 재야에서는 '기울어진 운동장' 담론을 수년 간 비판해온 인사들이 적지 않다. 당연한 일이다. 말도 안 되는 이론으로 변명을 했으니 말이다.

『촛불 이후』의 저자인 고 원 전(前) 서울과학기술대 교수가 대표적이다. 고 전 교수는 저서에서 "보수는 항상 포식자나 가해자로서 공격하는 위치에 서고, 진보는 대개 피식자나 피해자로서 방어하는 위치에 서는 것처럼 상징되었다. 지금은 여당이 된 야당 세력은 이런 인식 논리를 역이용해 자신들의 무능과 선거 패배를 변명하는 구실로 쓰기도 했다."고 지적하고 있다.

고 전 교수는 현재 나타난 보수정당의 지리멸렬함에 대하여, "급변하는 환경에 적응하고 변신하는 과제에 한국 보수진영의 주류는 나태했을 뿐만 아니라 방심했다. 도덕적 가치에서 퇴행을 거듭했고, 국가 운영에서조차 무능을 드러냈다. 특권과 반칙을 일삼은 사람들을 눈감아주고 보수라는 이름으로 대변하고 비호했다. 자신과 정치적 의견이나 이해관계가 다르면 무조건 종북주의자라고 매도했다. 대중이 인내할 수 있는 임계점을 넘어설 지경이 되었지만 그들은 한 번도 제대로 보수 혁신을 실천한 적이 없었다."라고 지적하였다. 필자의 주장과 대동소이한 얘기다.

현재 유권자들의 정치지형은 진보 우위라기보다는 다수를 이루는 중도 성향 유권자들이 만들어놓은 것이다. 그런 중도계층이 보수정당(국민의힘)에게 분노했던 결과이며, 그러한 분노가 민주당 우세를 만들어주었고 당분간 지속될 것이다.

여전히 요원한 보수, 보수정당의 재기는 혁신에 달려 있다

현재 시점에서 세대별로 지지하는 정당을 보면, 60세 이상을 제외하고 민주당 선호가 대세다. 그리고 중도계층의 가장 높은 선호를 받는 정당이 민주당이다.

민주당은 중도주의 정당이고 중도계층이 지지하는 정당임이 확실하다. 이제 보수 중심 사회에서 중도 중심 사회로 유권자 지형과 사회 지형이 바뀌었고 자리 잡혀 가고 있다.

우리나라의 현실에서 아직은 진보 중심의 사회는 오지 않았다. 언젠가는 그런 시대가 오겠지만, 보수 중심에서 바로 진보 중심으로 이동하는 것은 쉽지 않은 일이다. 그에 앞서 중간 단계로 중도 중심의 시대가 오게 된 것이다.

어느 정당이 집권하느냐의 문제와는 별개로 보아야 한다. 다시 보수정당이 집권할 수도 있다. 그러나 지금 형태의 보수정당은 아닐 것이다. 무능하고 실패한 보수, 광장에서 성조기와 일장기를 나부끼며 철 지난 매카시즘을 외치는 보수로는 절대로 불가능하다.

그런 보수정당이 아니라, 중도주의 정당인 민주당을 당당하게 이겨내고 건전한 보수로 무장한 새로운 중도보수 정당의 모습이라면 충분히 가능할 것이다.

하지만 아쉽게도, 현재의 보수정당(국민의힘)에서 그런 모습은 여전히 찾아볼 수 없다. 이 점이 현재 국민의힘의 최대 약점이다.

보수 혁신을 외치는 비상대책위원장은 기존의 보수 노선을 지향하는 골수적인 보수 세력에게 지속해서 견제를 받고 있으며, 개혁보수를 외치는 유승민 전 의원은 여전히 당내 소수세력에 머물고 있다. 보수정당의 재기는 이들의 역할에 달려 있다고 해도 지나친 말이 아닐 것이다.

민주당 성향 유권자들의 선택, 보수는 싫다

앞서 말했듯이, 2011년 우리 사회를 뜨겁게 달궜던 '안철수 현상'

은 현재의 민주당 성향 유권자들이 만든 바람이었다. 2010년 이후부터 보수는 확실히 아니고, 그렇다고 민주당을 지지하기는 꺼림칙한 감정을 느꼈던 유권자 집단이다. 그래서 2010년 지방선거에서 민주당에게 애매한 승리를 안겨줬다.

이들은 2011년 서울시장 재·보궐 선거에서는 민주당 후보가 아니면서 안철수 현상을 등에 업은 시민후보(박원순 후보)를 지지해주었다. 2012년에도 민주당에 대한 확실한 믿음이 없었다. 솔직히 당시 민주당은 새누리당보다 뚜렷하게 나아보이는 것이 없었다.

결국 2012년 총선과 대선에서 보수층의 총결집을 이룬 새누리당이 연이어 승리한다.

박근혜 정권이 들어서고 19대 총선에서 의회 과반을 차지한 새누리당을 보며, 민주당 성향의 유권자들은 보수정권과 보수사회를 더 이상 두고 보기가 힘들었다. 그럼에도 민주당은 여전히 믿음직스럽지가 못했다. 그래서 선택한 대안이 2016년 20대 총선 당시의 국민의당이었다. 그리고 민주당 성향의 유권자들은 2016년 말에, "이게 나라냐?"고 일제히 외치며 거리로 나왔다.

민주당이 나아지기를 기다리다 못해, 직접 거리로 나와서 박근혜 정부를 심판하고 국가 시스템을 바꾸라는 명령을 내렸던 것이다.

이후 문재인 정부가 집권했다. 민주당 성향의 유권자들은 집권한 민주당 정부에 대해, 이제라도 믿어보자며 끝없는 신뢰를 보여주기 시작한다. 그 절정이 바로 2018년 지방선거와 2020년 21대 총선이다. 아마 이러한 신뢰는 당분간 계속될 것으로 보인다. 지금의 문재인 정부는 민주당이 잘해서 형성된 것이 아니라, 민주당 성향 유권자들이 어렵게 만들어놓은 정치지형 덕분이다.

하지만 문재인 정부는 코로나19의 대처를 제외하고는 불안한 요소가 너무 많다. 경제는 민생과 직결된 것인데, 경제가 좋지 않다. 특히 부동산 문제는 매우 심각하다. 민주당 성향의 유권자들이 얼마나 더 지켜봐줄지 의문이다. 코로나19의 영향이 얼마나 더 길게 민주당과 문재인 정부를 도와줄 수 있을지도 알 수가 없다. 이미 2030세대는 문재인 정부와 민주당에 대한 지지를 거두기 시작했다.

누차 말하지만, 이들이 국민의힘을 지지하는 것은 쉽지 않은 일이다. 당분간은 무당파에 머물며 서울시장 재·보궐 선거와 차기 대선에서 스윙보터 역할로 전환될 가능성이 높다.

그나마 아직은 국민의힘보다는 민주당을 지지할 가능성이 높다고 할 수 있다. 그러나 21대 총선처럼 확실한 수준은 아니다. 이미 문재인 정부와 민주당은 능력의 한계를 충분히 보여주었기 때문이다.

이들이 두 곳 모두 선택하지 않는다면, 제3의 후보(세력)를 선택할수도 있고, 아예 선택 자체를 하지 않는 방법도 있다. 아직 선거가 시작도 되지 않았으니, 각 정당과 후보들이 어떤 전략과 카드를 내미느냐에 따라 이들의 선택지가 다시 결정될 것으로 보인다.

이들은 정치권이나 구세대 사람들의 논리처럼, '될 사람을 찍어야한다.'는 구태의연한 방식에 현혹되어 자신들의 표를 내주지는 않을것이다. 신세대답게 그들만의 방식으로 선택을 할 것이다.

2장 서울·경기는 민주당 우세, 서울 강북은 민주당 텃밭

10년 전부터 서울은 민주당의 도시
경기도 역시 10년 전부터 민주당 우세지역
서울 강북지역은 민주당에게 호남 버금가는 텃밭
강남에서 민주당 승리, 다시 가능할까?
텃밭 지역구와 스윙보트 지역구의 차이점
중도성향 계층의 움직임을 잘 봐야

10년 전부터 서울은 민주당의 도시

서울은 민주당이 우세한 도시

비슷한 연령대로 구성된 하나의 세대가 특정한 정치 사안 등에 대해 비슷한 공감대를 형성하는 것은 자연스러운 일이다. 이처럼 세대가 공감하는 것과 별개로, 광역 지역마다 주민들끼리 갖는 유대감도 있다. 때로는 이런 지역적 유대감이 세대별 공감대보다 더욱 강하게 나타날 수도 있다.

정치·이념적 사안이나 특정 정당을 선호하는 것에서도 마찬가지다. 특정한 정당 또는 특정한 이념적 정체성을 선호하는 지역적 유대감이 존재한다. 예를 들면, 광주광역시와 대구광역시 같은 도시다. 그러나 그렇지 않은 지역도 또한 존재한다.

지역적 유대감이 강하게 작용되는 지방이 아니면서, 세대별 특성에 따라 여론이 형성되는 대표적인 지역이 있다. 바로, 서울시와 경기도이다. 민주당 성향의 세대(유권자)가 다수여서 민주당에게 유리해졌다는 점을 확실하게 보여주는 곳이다.

서울은 전국 평균과 비교해서 0~9세와 10대의 연령대 분포는 낮았지만, 2030세대는 각각 2%p 이상 높았고, 40대는 약간 낮았으며(-0.2%p), 50대와 60대는 각각 0.9%p와 0.5%p씩 낮았다. 서울은 민주당 성향이 강한 20대부터 50대까지(Z세대+Y세대+X세대+586세대)의 인구분포의 합이 62.1%로, 보수적 성향을 보이는 60세 이상 인구의 분포보다 세 배 가까이 높다.

*표11) 지역별 10세 단위 연령별 인구분포.
2020년 9월 기준. 주민등록 상 인구

	0-9세	10대	20대	30대	40대	50대	60세 이상
전국	7.8%	9.3%	13.1%	13.4%	16.1%	16.7%	23.7%
서울	**6.6%**	8.2%	**15.1%**	**15.3%**	15.9%	15.8%	23.2%
부산	6.9%	**8.1%**	12.7%	12.5%	15.1%	16.8%	27.9%
대구	7.5%	9.4%	13.3%	12.3%	15.9%	17.6%	24.0%
인천	7.9%	9.4%	13.7%	13.9%	16.5%	17.4%	21.3%
광주	8.4%	**10.9%**	14.4%	12.9%	16.7%	16.1%	20.6%
대전	7.9%	10.1%	14.5%	13.4%	16.3%	16.5%	21.3%
울산	8.8%	9.9%	12.8%	13.5%	16.6%	**18.4%**	20.0%
세종시	**13.4%**	**11.9%**	10.4%	**17.4%**	**19.3%**	12.7%	14.8%
경기도	8.6%	10.0%	13.4%	14.3%	**17.2%**	16.6%	**19.9%**
강원도	6.9%	9.0%	11.6%	10.9%	14.6%	17.4%	29.6%
충청북도	7.8%	9.4%	12.4%	12.2%	15.1%	17.2%	25.9%
충청남도	8.3%	9.6%	11.4%	12.8%	15.5%	16.0%	26.4%
전라북도	7.2%	9.8%	11.7%	10.6%	15.0%	16.6%	29.1%
전라남도	7.2%	9.1%	**10.8%**	**10.1%**	**14.1%**	17.0%	**31.7%**
경상북도	7.3%	8.6%	**10.8%**	11.1%	14.6%	17.4%	30.2%
경상남도	8.2%	9.7%	11.3%	12.1%	16.1%	17.4%	25.1%
제주도	**9.1%**	10.5%	12.2%	12.4%	16.7%	16.6%	22.5%

*국가통계포털 자료 가공
*공무원의 도시 세종시를 제외하고 보면, 0~9세의 분포가 제일 높은 곳은 제주도, 제일 낮은 곳은 서울시, 10대 분포가 제일 높은 곳은 광주시, 제일 낮은 곳은 부산시, 20대 분포가 가장 높은 곳은 서울시, 가장 낮은 곳은 전남과 경남, 30대 분포가 가장 높은 곳은 서울시, 가장 낮은 곳은 전남, 40대 분포가 가장 높은 곳은 경기도, 가장 낮은 곳은 전남, 50대 분포가 가장 높은 곳은 울산시, 가장 낮은 곳은 서울시, 60세 이상 분포가 가장 높은 곳은 전남, 가장 낮은 곳이 경기도로 나타났다.

이러한 영향은 서울시장 선거와 서울 기초단체장(구청장) 선거, 서울 광역의원(서울 시의원) 선거, 그리고 서울의 지역구 국회의원 선거에 큰 영향을 가져왔다.

민주당 후보라면 져서는 안 될 서울시장 선거

서울은 민주당이 우위를 점하고 있는 지역이다. 2010년 지방선거에서부터 확인됐다. 그런데 민주당은 2010년 서울시장 선거에서 패했다. 민주당 후보의 부족한 인물 경쟁력과 민주당의 오판, 그리고 한나라당 후보의 앞선 인물 경쟁력이 더해져서 나오게 된 결과였다. 그러나 서울시 광역의원은 지역구와 비례를 합쳐 민주당 단독으로 과반을 훌쩍 넘었고, 전체 의석의 74.5%를 점유했다.

2010년 제5회 지방선거에서 한나라당 오세훈 후보는 2,086,127표를(47.43%) 득표했고, 민주당 한명숙 후보는 2,059,715표(46.83%)를 득표하였다. 서울시 광역의원 비례투표를 보면, 한나라당은 1,807,719표(41.38%)를 득표했으나 서울시장 후보를 내지 않은 친박연대의 득표(46,435표)까지 합한다면 보수정당들의 총 득표 수는 1,854,154표이다.

당시 한나라당 오세훈 후보는, 부족한 보수 성향의 유권자 숫자에도 불구하고 인물 경쟁력을 통해 23만 표 가까이 추가 득표를 했다는 계산이 나온다.

민주당은 비례투표에서 1,790,556표(40.99%)를 득표했고 서울시장 후보를 내지 않은 국민참여당(212,302표)과 평민당(13,209표)의 표를 합한다면 2,016,067표가 된다. 이는 민주당 서울시장 후보가 득표한 표와 비슷한 수치다. 당시 민주당 후보는 민주세력의 기본 표 이외에 표를 더 얻어내지 못한 것이다.

그렇게 불리한 지형임에도 인물경쟁력으로 승리했던 오세훈 전 시장은 '무상급식' 논란을 민생의 문제로 보지 않고, 이념 논쟁으로 끌고 가면서 스스로 시장 직을 내놓았다.

당시 무상급식 주민투표는 33.3%가 넘지 못해 개표조차 하지 못했다. 서울시장 선거에서 오세훈 시장을 찍어주었던 중도계층 대부분과 심지어 보수층까지도 투표에 참여하지 않은 셈이었다.

서울시에서 이념논쟁이나 이념대결은 보수정당에게 절대로 유리하지 않음을 보여준 사례라고 할 수 있다. 이후 오세훈 전 시장은 더욱 노골적인 보수 성향을 보이면서, 기성세대 특유의 고루함을 보여주었다. 그리고 국민의 관심에서 계속 멀어져갔다.

*표12) 2010년 이후 서울 지역 '민주-보수'진영
　　　 득표율 비교. 전국선거 기준

	민주당	범민주 정당	범 민주 합	국민의힘	범보수 정당	범 보수 합
2010 서울시장	46.83%	없음	46.83%	47.43%	2.04%	49.47%
2010 서울 광역비례	40.99%	5.16%	46.45%	41.38%	4.34%	45.72%
2014 서울시장	56.12%	없음	56.12%	43.02%	없음	43.02%
2014 서울 광역비례	45.38%	0.32%	45.70%	45.39%	0.73%	46.12%
2018 서울시장	52.79%	없음	52.79%	23.34%	0.53%	23.87%
2018 서울 광역비례	50.92%	0.88%	51.80%	25.24%	0.42%	25.66%
2020 총선 서울지역 비례	33.20%	8.35%	41.55%	33.10%	0.41%	33.51%

*인용자료 출처 : 중앙선관위
*국민의힘은 전신 한나라당, 새누리당, 자유한국당 등 포함
*범보수 정당 범위 자유선진당, 친박연대, 바른정당 등
*범민주 정당 범위 국민참여당, 창조한국당, 평민당 등
*정의당 등 진보정당(통진당, 진보신당 등)은 범민주 정당 범위에서 제외

민주당은 이후 선거(2011년 서울시장 재·보궐 선거 이후)부터는 계속해서 서울시장 선거에서 승리했다. 민주당에 유리한 서울시 유권자 지형에 따른 것이다. 당연히 서울시 광역비례의원 선거 역시 압도적인 차이로 승리했다. 이처럼 서울시장 선거는 민주당이 지고 싶어도 질 수 없는 선거이고, 서울은 민주당에게 텃밭 광역 지역구다.

서울시는 민주당에게 유리한 유권자 지형으로 구성되었기 때문에, 민주당이 서울시장 선거를 이기지 못한다는 것은 상상하기 어려운 일이다. 그런데 최근 이상 현상이 발생했다. 2020년 7월 4주차 한국갤럽 정례조사에서 내년 재·보궐 선거에 대한 의견을 물었는데, '정부지원 위해 여당 당선'이 37%, '정부견제 위해 야당 당선'이 49%로 나왔다. 서울지역 응답만 따로 보면 여당 당선이 35%, 야당 당선이 55%로 격차가 더욱 벌어졌다.

민주당의 서울 지역 우세는 부동산 문제로 발목 잡힐 가능성

이러한 결과를 미리 적용하는 것은 무리가 있다. 당시 2020년 7월 4주차는 문재인 대통령에 대한 국정운영 평가가 박원순 전 시장 논란과 정부의 그린벨트 번복 논란 등으로 인해, 4개월 만에 데드크로스로 나타나서 여론이 좋지 않을 때 조사된 것임을 고려해야 한다.
이후 2020년 10월 2주차에 조사된 정당 지지도에서 서울 지역 응답자만 보았을 때 민주당은 33%, 국민의힘은 22%로 나와서 다시 호전된 것으로 보인다.
다만, 대통령 국정운영 평가에서 서울지역 응답자는 긍정 41%, 부정 50%로 나왔는데, 긍정 47%, 부정 42%로 나왔던 전체 응답과 비교해서 좋지 않게 나왔다. 전체 응답은 골든크로스인데 서울지역은 데드크로스로 나왔다. 반면 민주당 지지율은 나쁘지 않게 나왔다.

다중적인 해석이 필요한 부분인데, 먼저 부동산 문제의 영향이 크다고 볼 수 있다. 실제로 부정평가의 이유 중 부동산 문제가 15%로 가장 높게 나왔다. 그렇지 않아도 서울 집값은 비싼 편인데, 부동산 가격을 잡지 못하다 보니 문재인 정부에 대해 평가가 나빠진 것이다. 그래도 서울은 민주당 성향 유권자가 다수인 지역이기 때문에 정당 지지율은 민주당이 여전히 앞서 있다. 단, 전국 평균보다는 5%p 낮았고 국민의힘은 전국 지지율보다 4%p 높게 나왔다.

아무리 민주당 성향 유권자가 많다고 하더라도, 부동산 문제는 민생 문제이기 때문에 유권자들의 지지 정당 선택에 영향을 끼치고 있다.

이 점은 여러 곳에서 확인된다. '내후년 대통령선거 결과 기대'라는 질문에 서울 지역 응답자들은 '현 정권 유지 위해 여당 후보 당선'에 37%, '현 정권 교체 위해 야당 후보 당선'은 45%로 좋지 않게 나타났다. 전국 평균은 여당 후보 44%, 야당 후보 39%였지만, 서울은 유독 좋지 않게 나타났다. 특히, 이런 결과는 무당층의 선택에 의해(여당 20%, 야당 45%) 크게 갈렸다.

중도계층이 다수를 이루는 서울시민의 선택에 변화가 찾아온 것이다. 민주당의 깊은 고민이 필요한 지점이다.

부동산도 엄연한 시장경제, 경제적 관점에서 풀어가야

부동산 문제는 문재인 정부가 애초에 첫 단추부터 잘못 꿰었다. 부동산시장도 엄연한 경제논리가 펼쳐지는 시장이다. 좋은 상품 또는 수요자에게 필요한 상품의 공급이 중요하다. 그렇게 수요의 욕구를 채워주어서 공급 부족에 따른 상품가격 인상을 방지해야 하는데, 무슨 일인지 좋은 상품의 공급은 묶어놓은 채 각종 규제와 세금으로만 일관했다.

지금 부동산 문제는 규제와 과세가 부족해서 발생한 것이 아니다. 오히려 25번에 걸친 강력한 부동산 정책이 실패한 이유다.

2020년 12월 중순에 문재인 대통령은 '2025년까지 임대주택 240만 호 공급'을 언급했다. 뒤늦게 부랴부랴 내놓은 얘기로 보인다. 구체적 계획까지 내놓지 않았다. 중요한 것은 수량이 아니라, 위치와 상품의 질이다. 물론 대규모 공급도 필요하다.

문제는 어디에다 공급하느냐 하는 것이다. 서울 또는 최소한 서울과 매우 근접한 위치여야 한다.

경기도라도 먼 거리여서는 안 된다. 지금 당장 필요한 것이 서울의 주택 공급이다. 심정적으로나 체감으로 경기남부 등지는 지방이나 다름없다. 서울에서 거리가 먼 곳에 잔뜩 만들어봐야 소용없다. 지금은 서울과 서울권에 대량공급이 절실한 상황이다. 경기도라고 하지만 서울과 거리가 먼 곳은 서울을 떠나라는 것이나 다름없다. 또한 찔끔찔끔 수천 또는 1~2만호 정도의 공급으로는 심리적으로나 실질적으로나 효과를 거두지 못할 것이다.

가장 중요한 것은 좋은 상품의 공급이다. 우리나라는 공공주택의 비율이 낮은 편이므로 임대주택의 보급도 더 많이 해야 하지만, 분양주택의 대량 공급도 필요하다. 분양을 통해 상품성 높은 중소형 및 중형 주택을 중저가로 대량 공급할 수 있는 방법을 강구해야 한다. 작은 크기의 임대주택을 서울에서 거리가 있는 곳에 잔뜩 만들어봐야 실제적 효과는 별로 크지 않을 것이다.

서울의 주택보급률은 2020년 현재 95%대다. 이것도 통계와 실질에 오류가 있을 수 있다. 주택보급률 계산에서 분모를 일반가구뿐만 아니라 집단가구, 외국인가구 등 총 가구 수로 하여 실질 주택보급률로 따지면 서울의 실질 주택보급률은 92~93%대로 뚝 떨어진다. 이마저도 사회시설에 거주하는 집단가구는 제외한 것이다. 일반가구에 포함되지 않은 이들은 비(非)거주용 주택이나 주택 이외의 형태인 쪽방 등에서 거주하는 사람들이 많을 것이다.

한 마디로 지금 서울은 집이 절대적으로 부족하다. 상품이 부족한데 규제와 과세로는 부동산시장을 안정시킬 수 없다.

2021년 4월 서울시장 재·보궐 선거

국민의힘(전신 한나라당/새누리당/자유한국당)은 지난 세 번의 서울시장 선거에서(2011년/2014년/2018년) '인물 경쟁력이나 확장성이 큰 후보'보다는 '이념과 내부 정치논리'에 치우친 후보를 내세우면서 연달아 참패를 경험했다. 현재는 여론의 기류가 '국민의힘'에게 다소 유리하게 변하였지만, 국민의힘 내부에서도 서울시장 선거를 낙관할 수 없다는 점을 스스로 알고 있을 것이다.

'국민의힘'의 지지율은 정부여당의 악제로 인해 잠시 올랐다가도 자체적인 선전이 이어지지 않다 보니, 다시 하락하기를 반복하고 있다. 원인은 예전과 달리 충성도 높은 보수층이 엷어졌고 진보와 중도계층은 두터워졌기 때문이다.

2020년 12월 현재 정당 지지율과 재·보궐 선거 관련 응답이 보수 야권에 매우 유리하게 잡히고 있지만, 보수야권 입장에서는 절대로 녹록치 않은 선거다.

2021년 4월에 진행될 서울시장 선거는 유권자 구성으로만 보면 민주당이 져서는 안 될 선거다. 만약 민주당이 패배한다면 심각한 민심 이반으로 봐야 한다. 민주당 성향 유권자 수가 전체 유권자 중에 월등한 다수를 차지하고 있으며, 서울시민의 다수가 중도계층인데, 중도정당인 민주당이 패배한다면 문재인 정부와 민주당에 대한 냉혹한 평가라고 볼 수밖에 없다.

2020년 12월 현재 정국상황과 여론조사에서는 민주당에 불리한 형세지만, 기본적으로 유권자 지형에 따른 결과로 이어질 가능성이 크다. 아직은 각 정당의 서울시장 후보가 결정되지 않았다. 대표적인 정치인들이 아직 나서지 않았으며, 구도가 잡혀 있지 않은 상태다.

민주당에 유력한 정치인이 출마하고 효과적인 선거 전략과 캠페인으로 진행한다면, 유리한 유권자 지형에 따른 이득을 볼 가능성이 크다. 만약 그럼에도 패한다면, 민주당으로서는 극복하기 힘들 정도의 민심 이반으로 보아야 한다.

그렇다면, 반대 세력인 보수야권이 패배한다면 어떻게 해석해야 할까?

2020년 12월 현재, 문재인 대통령에 대한 국정평가와 정당별 지지율, 그리고 서울시장 재·보궐에 대한 여론조사 등은 보수야권에게 매우 유리하게 형성되고 있다. 투표일까지 분위기와 민심이 어떻게 흐를지는 알 수 없지만, 2020년 12월 기준으로만 본다면 보수야권이 이기게 될 선거다. 그럼에도 보수야권이 패배한다면 두 가지로 원인이 요약될 수 있을 것이다.

먼저, 과거와 확실한 단절을 하지 않은 채 이념논쟁으로 접근한다면 유권자의 외면을 자초할 것이다.

다른 하나는, 여전한 얼굴들로 선거를 맞이했을 때다. 보수정당은 2016년 이후부터 2020년까지 연달아 패했다. 서울시장으로만 본다면 2011년부터 2020년까지 근 10년 동안이다. 이 기간 동안에 활약했던 인물들로 또 다시 도전한다는 것은 과거 보수정권 시절로 회귀하는 것을 의미할 수 있다.

지금 당장 서울시장 후보군에 대한 지지율은 큰 의미가 없다. 인지도에 따른 응답률로 과소평가해도 될 것이다. 이미 서울시장 후보로 나서서 패했거나, 주민투표 무산으로 스스로 사퇴했던 인물로는, 현재의 분위기가 아무리 좋더라도 좋은 결과를 기대하기 힘들다. 실제 선거에 들어가서는 지지율이 답보하거나, 승기를 빼앗길 가능성이 크다.

2020년 12월의 대권주자 선호도에서 보수정당과 상관없는 윤석열 검찰총장이 1위를 차지하고 있는 것과 비슷한 이치다. 이전까지 보수야권을 대표했던 인물로는 대권이든 서울시장이든 유권자들(특히 서울시민들)에게 선택받기가 쉽지 않을 것이다.

2020년 12월 현재 2030세대가 민주당 성향의 유권자 연합과 문재인 대통령 평가에서 이탈했다고는 하지만, 그렇다고 불평등한 사회를 만들었던 구시대 인물과 생각이나 행동이 변하지 않은 보수야권에게 기회를 주지는 않을 것이다.

2030세대는 2022년 대선과 2021년 재·보궐에서 선거의 승패를 가르게 될 스윙보터다.

　이들 2030세대가 공감하고 승낙할 수 있는 인물을 후보로 내놓지 않으면, 보수야권은 승리하기가 쉽지 않을 것이다.

　다시 말해, 보수야권의 서울시장 재·보궐 승리는 '과연 참신하고 새로운 인물을 내놓을 수 있느냐?' 하는 데 달려 있다. 새로운 보수로 변화할 수 있다는 사실을 알려주는 가장 확실한 방법은, 구태의연한 인물을 새로운 인물로 대체하는 것이다.

경기도 역시 10년 전부터 민주당 우세지역

서울보다 더 진보적인 경기도

'표11'을 보면 경기도의 인구분포는(2020년 9월 기준) 서울시와 비교해서 0~9세 인구와 10대의 경우는 각각 약 2%p정도 높았고, 전국 평균보다는 약 0.7~0.8%p 정도 높게 나타났다.

Z세대인 20대는 서울과 비교해 1.7%p 낮았지만, 전국 평균보다는 0.3%p 높다. Y세대인 30대는 서울보다 1.0%p 낮고, 전국 평균보다는 0.9%p 낮은 것으로 나타났다. X세대인 40대는 서울보다 1.3%p 높았으며, 전국 평균보다는 1.1%p 높다. 586세대인 50대는 서울보다 0.8%p 높았고, 전국 평균보다는 0.1%p 낮았다. 60세 이상은 서울과 전국 평균보다 각각 3.3%p, 3.8%p가 낮았다.

경기도는 서울보다 젊은 광역지역이고, 전국 평균과 비교하면 매우 젊은 광역지역이다. 586세대부터 Z세대까지의 인구 분포 합이 61.5%로 서울(62.1%)보다는 약간 낮다. 그럼에도 서울보다 젊은 광역지역이라고 할 수 있는 이유는, 0~9세 인구와 10대의 인구분포가 서울보다 높기 때문이다.

0~9세 및 10대의 인구분포가 서울보다 높다는 점은, 가정을 꾸려 아이를 낳고 거주하는 4050 인구와 연관이 있다. 경기도의 4050 인구분포는 서울보다 높다.

2030 연령대는 한창 일할 나이면서 미혼일 가능성이 높다. 그래서 상대적으로 거주비용이 비싸더라도 통근·통학을 위해 서울에서

거주하고 있다. 미혼의 2030인구는 직장(학교) 출퇴근에 용이한 선택을 하고 있는 것이다.

1~2인 가구일 경우가 많으므로 넓은 공간의 주택이 아니어도 된다. 하지만 결혼 후에는 가족이 함께할 충분한 거주공간이 필요하고, 그러다보니 주택 값이 비싼 서울보다는 서울의 위성도시를 선택한 경우가 많다. 그래서 4050 인구가 경기도로 거주지를 택하게 되었고, 이들의 자녀세대인 0~9세와 10대 인구까지 서울보다 높게 나타난 것이다.

즉, 경기도 인구분포의 특성은 서울의 부동산 가격과 연관되어 있다. 이는 최근 데이터로도 증명이 된다. 2020년 10월에 경기도로 전입한 인구에서, 경기도 내 이동인구를 제외한 52,869명 중에 60%에 달하는(58.95%) 31,165명이 서울에서 전출해온 인구다(국가통계포탈 자료 인용).

4050 인구분포가 높고 60세 이상은 매우 적은 특징

경기도의 연령대별 인구분포에서 또 다른 특징은 60세 이상 인구가 매우 적다는 것이다. 공무원의 도시인 세종시를 제외하면 전국에서 60세 이상 인구가 제일 적고, 유일하게 20% 미만의 인구분포를 보인다. 서울은 23%대의 분포를 보였지만, 경기도는 60세 이상의 인구분포가 매우 적게 나타난다.

경기도 토박이가 적은 것과 외부 인구의 유입에 따른 영향일 것이다. 경기도 토박이라고 할 만한 인구는 이제 경기도 인구 중 25%에도 미치지 못하는 것으로 알려졌다. 외부에서 유입된 인구는 자녀가

성장한 후, 다시 서울이나 고향으로 이동하면서 노년층의 분포가 낮아지는 것이다.

과거는 물론이고 현재 역시 일할 수 있는 나이의 인구(주로 2030 연령대)가 지방에서 서울로 올라온다.

그러다가 주택 값 등의 이유로 위성도시가 있는 경기도로 이주했지만, 60세가 넘어서는 군이 불편함을 감수하면서까지 경기도에 남지 않고 서울을 택했을 것이다. 60세 정도면 서울에서 버틸 만한 자산(집)을 확보했을 가능성이 높다. 또는 은퇴 후 서울을 떠난다면 경기도보다는 귀향을 택했을 것이다.

2019년에 다른 시도에서 경기도로 유입된 인구 639,254명 중에 60세 이상 인구는 12.6%(80,555명)에 불과하다(국가통계포탈 자료 인용). 경기도의 60세 이상 인구 분포(19.9%)보다 낮은 수치인데, 60세 이상의 인구가 경기도로 오는 비율이 매우 낮다는 것을 알 수 있다.

생활조건을 세세하게 따져보면, 노년층이 생활하기에 경기도보다 서울이 나은 편이다. 만65세가 지나면 지하철 이용이 무료인데, 서울에서 어지간한 동네는 걸어서 15분 이내에 지하철이 닿아 있다. 하지만 경기도는 넓다 보니 그렇지 못하다. 게다가 거의 해결이 어려워 보이는 버스 체계와 노선 등 대중교통이 서울보다 좋지 못하다.

서울은 인구가 집중되어 있기 때문에 노인 관련 복지시설에 대한 접근성이 좋지만, 경기도는 서울에 비해 상대적으로 불편하다.

경기도의 60세 이상 인구분포가 20%도 되지 않는다는 사실은, 보수가 우세한 정치지형이 형성되기가 쉽지 않다는 것을 알려준다.

게다가 진보성향과 민주당 지향성이 강한 4050 인구분포가 높다. 2030 인구도 비슷한 성향이지만 상대적으로 4050만큼 민주당 성향이 강하지는 않다. 경기도의 유권자 지형이 민주당에게 유리할 수밖에 없다.

진보적인 서울시민 다수가 경기도로 전입하여 민주당 우세 지역 형성

1기 신도시에 거주하는 인구만 100만 명이 넘는다. 서울의 집값을 잡기 위해 조성된 위성도시에 거주하는 인구가, 아무리 작게 잡아도 200만 명은 넘을 것이다. 경기도라는 지역에 대한 유대감보다는 서울과의 근접성을 우선한 생활을 하고 있다는 말이다.

이들은 자신의 거주지를 경기도라고 칭하지 않고 '분당, 일산, 평촌, 산본, 판교, 중동' 등 자신이 거주하는 신도시 명칭으로 표현한다. 성남시가 아니라 분당, 고양시가 아니라 일산, 군포시가 아니라 산본, 안양시가 아니라 평촌, 심지어 판교 주민은 성남시 분당구 판교동에 속하는데 분당 사람도 아니고 판교 주민으로 표현한다. 이들은 심정적으로 서울 시민인 사람들이다.

경기도는 서울과 비교하여 2030 인구보다 더 진보적인 4050 인구가 많아서인지, 진보당 계열의 득표율이 서울보다 높다. 경기도의 유권자 지형은 민주당 성향을 넘어 진보 성향이 강하다. 그러면서 지역구(경기도지사, 기초단체장, 국회의원) 선거에서 진보당 후보가 없을 경우, 민주당이나 민주당 계열(또는 진보당)로 출마한 단일후보에게 결집하는 선택을 해주었다.

*표13) 2010년 이후 서울 지역 '민주-보수'진영
득표율 비교. 전국선거 기준

		국민의힘	보수 계열 소계	민주당	진보당 계열 소계	민주 계열 정당 소계
21대 총선	비례 합	31.4%	8.6%	34.7%	11.4%	7.4%
2018 7회 지선	도지사	35.5%	4.8%	56.4%	3.3%	-
	광역비례 합	25.5%	7.8%	52.8%	12.7%	0.7%
20대총선	비례 합	32.3%	0.2%	26.8%	8.5%	26.7% (국민의당)
2014 6회지선	도지사	50.4%	-	49.6%	-	-
	광역비례 합	47.59%	-	43.78%	7.5%	1.1%
18대 대선	경기 소계	50.3%	-	49.0%	-	-
19대 총선	지역구 합	45.7%	0.1%	47.2%	1.1%	-
	비례 합	41.6%	3.2%	37.1%	12.1%	1.0%
2010 5회 지선	도지사	50.1%	-	-	-	45.9% (국민참여당)
	광역비례 합	41.1%	2.2%	36.8%	4.6%	9.9%

*인용자료 출처 : 중앙선관위

경기도의 인구분포는 서울과 마찬가지로 이미 2010년부터 민주당
이 우세할 수밖에 없는 유권자 지형이 되었다. 일부 농촌지역을 제
외하면 경기도 지역의 국회의원들은 어지간하면 민주당 소속이다.
기초단체장도 마찬가지며 경기도 의회 역시 오래 전부터 민주당이
석권했고, 기초의회도 비슷하다. 그런데 이상하게도 경기도지사는
2018년이 돼서야 민주당 소속 후보가 승리하였다.

민주당의 경기도지사 선거 패배는 후보와 전략의 문제

민주당은 잘못된 전략과 후보 선택(경기도 표심과 동떨어진 후보)을 하지 않도록 해야 한다. 지난 2010년 제5회 지방선거와 2014년 제6회 지방선거 당시에 경기도지사 선거처럼 한다면, 민주당은 경기지사 선거에서 이길 수가 없다.

제5회 지방선거에서 민주당은 후보단일화를 통해 국민참여당 유시민 후보에게 경기지사 후보를 양보하였다. 거두절미하고 잘못된 선택이다. 민주당 지지층을 흡수하지 못했을 뿐만 아니라, 확장성이 결여된 후보였다. 5회 지선 당시 경기도 광역의원 비례선거에서 민주당과 진보당 및 민주 정당 계열의 득표율 합은 51.3%였다. 절반을 넘었다. 반면 한나라당(국민의힘 전신)과 보수 계열 정당의 득표율 합은 43.3%였다. 그런데 경기도지사 선거의 득표율은 반대였다.

경기도는 2010년 이전부터 이미 민주당 성향의 유권자들이 다수가 되어 있었고 그에 따른 혜택을 받을 수 있었지만, 민주당 표를 흡수하지 못하는 엉뚱한 후보를 내놓아서 패배한 것이다.

당시 한나라당 남경필 후보는, 한나라당과 보수 계열 정당의 광역의원 비례선거 득표율 합보다 6.8%p나 높은 득표율을 보였다. 그런데 유시민 후보는 '민주당+진보당들+국민참여당'의 비례선거 득표율 합보다 5.4%p가 부족한 득표율로 표를 받았다. 일부 민주당 성향의 유권자들로부터 외면을 받은 것이다. 필자의 기억에 유시민 후보는 호남 출신 유권자들이 강한 반감을 표출했던 후보였다. 후보를 양보한 민주당의 선택이 선거 패배에 결정적인 원인이었다.

2012년 19대 총선도 민주당 성향과 진보적인 유권자가 많은 경기도의 특징이 보인다. 지역구와 비례선거 모두 '민주당+진보정당+

민주 계열 정당'의 득표율 합이 '새누리당과 보수정당'의 합보다 훨씬 많았다.

경기도는 진보성향이 강한 후보가 유리한 지역

2014년 제6회 지방선거도 민주당의 잘못된 선택과 민주당 후보의 부족한 전략이 패배를 가져왔다. 당시 민주당 김진표 후보의 득표율은 49.6%였고, 민주당과 진보당 계열 및 민주 계열 정당의 광역의원 비례선거 득표율의 합은 52.4%에 달했다. 반면 새누리당 남경필 후보의 득표율은 50.4%였고 새누리당과 보수 계열 정당의 광역의원 비례선거 득표율 합은 47.6%에 불과했다.

남경필 후보는 비례선거에서 보수정당을 선택한 유권자보다 2.8%p의 득표율을 더 받았고, 반대로 김진표 후보는 진보 및 민주당 성향 정당을 선택한 유권자보다 2.8%p의 득표율을 덜 받았다. 양쪽 모두 플러스마이너스 차이가 딱 2.8%p였다.

유권자 지형이 유리한 상황을 고려하지 않은 후보 선택과 전략이 문제였다. 당시 남경필 후보는 보수정당 후보임에도 개혁적 공약과 이미지를 내세웠다. 그러나 민주당 김진표 후보는 그렇지 않아도 후보의 정체성이 민주당에서 가장 보수적인데, 공약과 선거 전략도 보수적으로 가져갔다. 2.8%p의 득표율을 빼앗고 빼앗기는 결정적인 원인이 된 것이다.

이후 2018년 제7회 지방선거에서 경기도지사 선거는, 민주당과 진보성향 유권자가 다수인 경기도의 특성에 맞는 후보가 나왔기에 당연히 승리했다. 그에 더해 문재인 정부 초반기라는 좋은 환경과 보수정당의 지리멸렬 덕분에 민주당이 대승을 할 수 있었다. 7회 지방선거 당시 이재명 민주당 경기도지사 후보는 야당 후보들의 공세에 시달렸지만, 민주당 성향 및 진보성향 유권자의 선택은 변함없었다.

이재명 지사 대권 행보, 로컬리즘의 성공으로 이어질까?

매시스컨설팅그룹 김헌태 대표는 자신의 저서인 『초소통사회 대한민국 키워드』(2018년 12월 발간)에서 "포퓰리즘의 시대가 가고 로컬리즘의 시대가 온다."고 역설한 바가 있다. 이는 지역 주민들과 호흡하며 지지를 얻은 유력인사가 중앙정치에까지 진출하여 큰 활약을 하게 될 시대가 올지도 모른다는 점을 예측한 것이다. 그런 의미에서 이재명 지사의 활약은 눈여겨볼 만하다.

2020년 10월 현재, 이재명 지사는 차기 대권후보 지지율 1위를 차지하고 있다. 경기도 로컬에서 시작한 이재명 지사의 진보적이고 혁신적인 정책이, 전국적으로도 통하고 있다는 얘기다. 과연 이재명 지사가 김헌태 대표의 예측대로 로컬리즘의 시대를 주도하면서, 중앙정치에서의 성공까지 이어갈 수 있을지 결과가 궁금하다.

민주당·진보 성향의 경기도 유권자들과 궁합이 맞는 이재명 지사

경기도 유권자들 중에 다수가 민주당 성향이고 진보적이다. 이런 점은 경기도민들의 도지사에 대한 평가로도 알 수 있다.

여론조사 기관 리얼미터의 결과에 따르면, 2021년 1월 8일에 발표한 광역자치단체장 평가 여론조사에서 이재명 지사가 7개월 연속 1위를 차지했다. 또한 2021년 1월 7일에 발표한 한국갤럽의 민선7기 시도지사 직무 수행평가 조사결과에서도 2020년 하반기에 이재명 지사는 75%로 굳건한 1위를 차지했다.

　특히 이 지사의 직무수행 지지도 순위는 단순하게 인지도나 다른 요인에 따른 것이 아니라는 점이 돋보인다. 리얼미터의 조사결과에 따르면, 지사 임기가 시작된 직후인 2018년 7월만 하더라도 이 지사는 17위로 '꼴찌'였다. 이후 2019년 1월에 14위, 2020년 1월에는 6위, 2020년 5월에는 2위로 상승하더니, 2020년 6월부터 1위가 되고 나서 7개월간 부동의 1위를 유지하고 있다. 이는 경기도민들이 도정에 대한 변화와 발전을 감지하면서 점점 높은 평가를 해주고 있다는 것으로 볼 수 있다.

　무엇보다도 이 지사의 화끈하고 거침없는 진보적 정책과 행정이 경기지역 유권자들의 성향과 맞는다는 의미일 것이다. 보수정당과 언론에서 불편함을 숨기지 않고 있기는 하지만, 경기도 주민들의 평가는 다르게 나타나고 있다.

　민주당 성향인 경기도 유권자들의 특징은 다른 곳에서도 확인된다. 한국갤럽의 정례조사인 2020년 9월 통합조사에서 경인지역의 정당 지지율은 민주당 38%, 국민의힘 18%였다. 서울지역보다 민주당은 3%p가 높고 국민의힘은 3%p가 낮게 나타났다.

　또한 각 정당에 대한 호감도 조사에서도(지지율 조사가 아님), 경인지역 응답자들의 민주당에 대한 호감도는 서울보다 5%p 높은 40%로 나타났고, 정의당은 3%p 높은 25%로 나타났다. 경기도는 서울보다 민주당 및 진보 성향이 더 확실한 광역자치단체다.

이런 점만 보더라도, 경기도지사 선거에서 민주당이 패배한다는 것은 잘못된 후보 결정과 전략 때문이 아니겠는가. 민주당은 이 점을 명심해야 한다.

2002~2014년 당시의 후보들을 상기하면 '국민의힘'도 기회가 있다

경기도는 분명 민주당과 진보 성향 유권자가 다수인 지역이지만, 국민의힘(보수정당)이 힘을 쓰지 못한 곳은 아니었다. 불리한 지형을 두고도 2010년과 2014년 경기지사 선거에서 승리하였다. 승리할 수 있었던 이유는 지루한 이념 논쟁이나 내부 정치논리 대신 경쟁력 있고 대중성 높은 후보를 내놓았기 때문이다.

2002년부터 2014년까지 이어진 국민의힘 계열 후보의 승리가 그 본보기다. 진보 또는 중도적이고 개혁적이며(당시에는 나름) 참신한 후보를 내세운 덕이다. 반면에 민주당은 도리어 보수적이고 확장성이 부족한 후보를 내세우는 바람에 계속 패했다.

2012년 대선의 사례도 마찬가지로, 보수 성향의 유권자 수가 적더라도 보수정당 후보가 이길 수 있음을 알려줬다.

'표11'을 보면 18대 대선에서 박근혜 후보의 승리는 의외의 결과였다. 보수정당을 지지해줄 인구가 적어졌기 때문에 승리하기가 쉽지 않았다. 하지만 원인이 없는 결과는 없다.

필자가 '민주당 장기집권 쌉파서블? 〈2010년부터 민주당으로 기울어지기 시작한 운동장〉' 편에서 설명했던 결과와 같은 것이다. 2012년 당시는, 우리나라 유권자가 '진보〉보수' 또는 '민주당 우위'

로 이미 구성되어 있었지만, 보수진영이 사력을 다해 마지막으로 승리할 수 있었던 선거였다.

당시 박근혜 후보는 '경제민주화'를 내세웠고, '노인에게 월 20만원 지급' 공약 등 파격적인 정책을 내세웠다. 보수정당 후보지만 진보적 정책을 마다하지 않았다. 또한 대구와 경북에 투표율이 다른 선거 때와 달리 높은 순위를 보였고, 전국에 60세 이상 유권자들의 투표율이 80.9%였다. 보수표가 많이 나오는 연령대와 지역에서의 투표율이 다른 선거들보다 확연하게 높았다. 보수 유권자들을 요즘 말로 '영끌(영혼까지 끌어 모으기)'한 것이다. 그야말로 죽기 살기로 보수 유권자를 끌어 모아 투표장에 나오게 했던 것이다.

당시 민주당과 문재인 후보는 상당 시간을 후보단일화에 매달렸고, 그러다 보니 보수층의 결집을 넘어설만한 괜찮은 정책과 중도계층 공략이 부족했다.

또한, 민주당 성향의 유권자를 끌어들일 만한 전략이나 결정에 뜸을 들이며 확장성이 부족한 모습도 보였다. 후보의 일정 동선(動線)이나 전략도 전통적인 방식보다 거꾸로 부산을 향해가는 등의 착오와 함께, 현장 집회에 모인 군중의 분위기에만 취해 있었다.

2012년 대선은, 유권자 구성과 상관없이 후보와 캠프의 노력으로 얼마든지 전세를 뒤집을 수 있음을 보여준 사례다. 물론 상대측의 실기가 더해졌지만, 그런 상대적인 영향이 미칠 만큼 괜찮은 전략과 캠페인이 있었기에 가능한 것이다. 선거 승리를 위해서는 유권자 니즈에 맞는 후보를 내세워야 하고, 효과를 발휘하는 전략과 캠페인이 필요하다는 뜻이다.

서울 강북지역은 민주당에게 호남 버금가는 텃밭

어쩌면 호남보다 더 확실한 민주당 텃밭

서울지역 유권자들이 민주당 성향이라는 이유로 인해, 서울의 어지간한 국회의원 지역구는 민주당의 텃밭이 되었다. 좀 더 상세하게 특정해보겠다.

강남·서초구와 용산구, 목동신도시가 위치한 양천구 등 일부 지역을 제외하면, 한강 북쪽이든 남쪽이든 서울지역의 많은 국회의원 선거구가 그렇다. 이제는 목동이 있는 양천구와 강동구 전체, 그리고 송파구 일부까지 민주당의 텃밭으로 변했다.

2010년 이후에 진행된 19대 총선부터 21대 총선까지 3번의 총선 결과를 보면, 서울시 지역구 선거에서 민주당 후보들이 휩쓸고 있다. 각 지역구마다 3번을 연속해서 민주당 후보가 승리한 곳이 매우 많다. 그렇지 않은 지역은 강남·서초·송파와 용산구 등 일부에 불과하다.

강남3구 중 하나인 송파구병 선거구는 19대 총선에서 한나라당 후보가 승리했으나, 19대 이전인 17~18대 총선과 이후인 20~21대 총선에서 민주당(계열) 후보가 승리해온 민주당의 텃밭 지역구다.

그밖에 (20대 총선 당시) 국민의당이나 (19대 총선 당시) 진보당 계열의 후보가 승리한 지역구는 후보단일화 등의 이유로 민주당에서 후보를 일부러 내지 않았거나 선거구를 양보한 지역이다. 그러므로 그런 곳들도 민주당이 지속해서 우위를 점해온 곳이라고 할 수 있다.

관악구을 선거구의 경우는 19대 총선에서 후보단일화로 통진당 후보에게 양보했고, 이후 재·보궐 선거와 20대 총선에서는 제3당(또는 제3세력)에 의한 표 갈림으로 인해 보수정당 후보가 연이어 승리했는데, 21대 총선에서는 민주당 후보가 55.9%의 압도적 득표율로 승리하여 민주당 텃밭임을 확인시켜 주었다. 지역구뿐만 아니라, 비례선거에서도 결과가 다르지 않았다.

*표14) 19대~21대 총선 서울 지역구에서 민주당(&단일후보)
       승리지역 분석

	21대 총선	20대 총선	19대 총선
득표율 50% 이상 지역구 수	**40곳**	14곳	**23+1곳**
승리한 지역구 수	**41곳**	35곳	30+2곳

*중앙선관위 자료 참고
*20대 총선은 국민의당 영향으로 승리한 지역구는 많았으나 높은 득표율을 보이는 곳은
 상대적으로 적었음
*19대 총선은 후보단일화를 했던 통합진보당 후보를 포함한 수

민주당 성향 유권자가 다수라는 점은 국회의원 선거구에서 더욱 명확하게 나타나

서울지역의 대부분 선거구들에서 '민주당+민주계열 정당+진보정당'의 비례선거 득표율 합이 모두 '보수 계열 정당'의 득표율 합보다 높게 나왔다. 이러한 경향은 민주당 성향의 유권자가 많아진 인구(세대) 분포의 영향이다. 다만, 20대 총선에서는 국민의당이라는 강력한 제3당의 존재로 인해 비례선거 득표가 크게 갈렸는데, 비례선

거에서 국민의당을 선택한 유권자들은 중도·중도보수 성향의 유권자들 표가 섞여 있다.

2010년 이전까지만 해도 유권자 지형은 보수층이 다수였다. 그러나 2010년부터 민주당 성향 유권자가 다수인 것으로 바뀌었고, 서울과 경기지역에서 더욱 뚜렷하게 나타났다.

민주당 성향 유권자들이 많아지기는 했으나, 이들은 2016년 이전까지 민주당에 대한 믿음이 크지 않았다. 20대 총선이 있던 2016년만 하더라도 확실하게 민주당을 지향하지 못했다. 그래서 지역구 선거는 민주당을 선택했지만, 비례선거는 제3당을 선택했다.

분명한 점은 이런 민주당 성향 유권자들의 전략적 투표는 '반(反)새누리(반보수)'라는 명확한 의지가 담겼다는 것이다. 20대 총선에서 국민의힘(당시 새누리당)의 서울지역 비례선거 득표율은 30.83%였고, 21대 총선에서는(당시 미래한국당) 33.1%였다. 30% 언저리의 보수층이 아니고는 서울 지역 유권자들은 보수정당을 철저하게 버렸다.

20대 총선 당시만 하더라고 민주당 성향 유권자들은 제3당을 선택한 경우가 많았다. 민주당이 믿음직하지 못해 지지하지 못하였지만, 보수정당은 확실하게 반대한다는 의미였다. 그리고 21대 총선에서는 확실하게 민주당을 선택했다. 그래서 현재처럼 민주당이 우세한 정치지형이 완성됐다.

이러한 점은 서울과 경기도의 국회의원 선거구에서 확실하게 확인된다. 민주당 후보가 승리한 선거구 대부분에서 민주당 후보의 득표율이 50%를 넘었다. 비례선거처럼 정당들이 난립하지 않은 지역구 선거는 민주당 후보에게 집중할 수가 있기 때문이다.

서울의 기초단체장, 국회의원 지역구 후보는
민주당 깃발만 있으면 당선된다

서울시 25개 자치구와 국회의원 선거구들을 개별적으로 따져보면 민주당에게 매우 유리하게 지형이 잡혀 있다. 광역의 규모인 서울시장 선거보다 훨씬 더 유리하게 형성되어 있다. 서울지역의 기초단체장과 국회의원 지역구 선거에서 민주당 후보가 패한다면, 후보의 자질이 형편없었기 때문이라고 표현할 수 있을 정도다. (강남권 등 일부 지역을 제외하고) 서울지역은 민주당 간판만 달고 출마하면 그냥 당선된다고 해도 될 것이다.

서울의 비례선거 결과를 자치구별로 세분화해보면, 각 선거구가 민주당에게 얼마나 유리하게 형성됐는지 알 수 있다.

최소한 20개의 자치구에서, 민주당과 진보당 등 민주 정당들의 득표율 합이 보수정당들의 득표율 합보다 많다. 서울에 25개 자치구 중 80% 이상이다.

2018년 7회 지방선거에서는 25곳 모두 해당된다. 비례투표는 많은 정당들이 난립하여 표가 분산되는데, 그럼에도 민주당 단독으로 1위를 하는 곳이 많다.

표가 결집되는 지역구 선거에서는 민주당이 확실히 혜택을 받았다. 이러한 경향은 경기도 지역에서도 다수 보이는 현상이다.

민주당은 2010년 당시만 해도 서울과 경기 지역을 경합 선거구로 분류했다. 하지만 이제 수도권 선거구는 일부 지역을 제외하면 민주당 후보들의 당선이 보장되는 안정적인 텃밭 지역구로 변했다. 그런 결정적인 원인이 바로 민주당 성향을 보이는 586세대인 50대와 X세대인 40대, Y세대인 30대의 연령대가 인구분포에서 다수를 점하고 있기 때문이다.

*표15) 제5회~7회 지방선거에서 서울 25개 자치구별
　　　 광역의원 비례선거 결과

	7회 지선	6회 지선	5회 지선
민주당이 득표율 1위인 자치구	25곳	16곳	18곳
'민주+진보+민주 계열 정당' 득표율 합이 보수정당들 합보다 높은 자치구	25곳	22곳	21곳

*중앙선관위 자료 참고
*7회 지방선거에서는 25개 자치구 모두 민주당 단독으로 득표율 1위
*7회 지방선거에서 민주당 단독으로 득표율이 50%를 넘은 자치구가 19곳

　이런 영향으로 인해, 서울과 경기에 지역구를 둔 민주당 소속 국회의원들 중 많은 수가 3선 이상의 다선(多選) 의원들이다. 민주당의 제1텃밭이었던 호남 지역구는, 20대 총선 당시 호남 전역에서 선전을 했던 국민의당의 영향으로 인해 전반적인 인물 교체가 되었다. 현재는 초선의원이 다수를 이루고 있다. 재선 이상의 민주당 호남지역구 의원은 8명에 불과하다.

서울지역도 내부 혁신과 인물 교체가 있어야 장기적인 승리가 가능

민주당의 제1텃밭인 호남은 인물교체가 됐지만, 민주당의 제2텃밭인 서울 강북지역 등은 인물교체는커녕 정치적 기득권이 강화되는 추세다. 경선과정에서 신인과 여성 정치인이 가점을 받더라도, 현역 다선의원을 상대해 이겨낼 정치 신인은 거의 없다. 현역 국회의원이 정부에 입각하여 지역구를 떠나면서, 고작 몇 군데만 조금 바뀌는 정도였다.

민주당은 21대 총선에서 서울 선거구 중 많은 곳에 단수공천을 남발했다. 이미 텃밭이 된 선거구인데, 그마저도 형식적이나마 경선과정도 없이 기존 현역의원과 당내 주류세력 위주로 공천을 확정지어 버렸다. 매우 우려스러운 행보다. 이것이 기득권이 되고 세력화가 되어 버린다면, 당내에서 다양성을 배격하고 세대교체를 거부하는 모습으로 비춰질 수 있다. 이런 행태 때문에 민주당에 위기가 닥쳐올 가능성이 있다.

20대 총선 당시 호남지역의 경우처럼, 민주당을 대신할 수 있을 것으로 보이는 대안 세력이 젊고 참신한 인재들을 앞세운다면, 민주당 성향 유권자들의 판단을 충분히 돌릴 수 있을 것이다. 서울·경기 지역에서 민주당의 장기적인 승리는 내부의 혁신과 적절한 인물교체가 얼마나 원활하게 이뤄질 것인가에 달려 있다고 할 수 있다.

강남에서 민주당 승리, 다시 가능할까?

보수 우세의 유권자 지형으로 다시 바뀐 강남을 선거구

필자는 20대 총선을 앞두고 있을 당시, 강남을 선거구에서 민주진영의 승리를 장담했다. (20대 총선 당시는 강남구의 국회의원 선거구가 '갑/을'로만 존재했고, 21대 총선부터 '병'지역구가 생겼다.)

필자는 충분한 자료 검토를 통해 달라진 유권자 구성을 확인했고, 다년간 강남지역을 지켜봐오며 당시 강남구의 민심이 변했음을 보았다. 아무런 근거 없이 큰소리치며 무책임한 호언장담을 한 것이 아니었다.

실제로 20대 총선에서 강남을 선거구는 민주당 후보가 승리했다. 총선이 있기 전부터 강남을 선거구의 지역 상황(유권자 구성)이 민주당(민주진영) 후보에게 유리한 구도로 변했기 때문이다.

당시 강남을 선거구는 몇 년간 지속된 대규모 임대주택 단지의 입주가 완료됐고, 많은 지역에서 벌어진 재건축으로 인해 기존 주민들이 대거 전출해 나갔다.

임대주택 단지에는 Y세대인 30대와 X세대인 40대가 다수를 점하고 있었다. 이들은 중하위–중위 정도의 소득수준과 대학 이상의 학력수준을 갖춘 서민층으로, 비싼 집값 때문에 자기 집을 구하지 못하다가 어렵게 입주하게 된 민주당 및 진보성향의 유권자들이다.

반면에 재건축 공사로 전출된 인구는 586세대와 그 전 세대가 다수였으며, 이들 대부분은 부유한 보수층이다.

그동안 강남 지역에서 보수정당 후보의 낙승을 만들어주었던 인구가 빠져나간 것이다. 20대 총선의 강남을 선거구에서 민주당 후보가 승리한 결정적인 이유다.

그러나 20대 총선 후 4년 동안 다시 유권자 지형이 바뀌었다. 중산층 이상의 보수 성향 유권자들이, 재건축이 완성되면서 되돌아왔다. 재건축 단지다 보니 주택 수가 이전보다 3배 이상 늘어났다. 주택가격은 강남답게 기본적으로 평당(3.3㎡당) 7~8천만 원이 넘는다. 이렇게 비싼 집에 들어올 수 있는 수준의 사람들은 보수성향이 강하다.

잠시나마 민주당 후보에게 승리를 안겨줬던 강남을 선거구는 다시 보수 성향으로 돌아섰으며, 앞으로도 지속될 것이다. 22대 총선 전까지 새로 완공되는 재건축 단지에 1만 세대 이상의 주민이 추가로 입주할 예정이다. 이들은 대부분 보수층일 가능성이 높다.

민주당 성향의 유권자 확보와 유지를 위한 방법은 부동산 정책(주택 대량 공급)

민주당은 강남을 지역에서 벌어지는 현상을 쉽게 지나쳐서는 안 된다. 서울 곳곳에 낙후된 주택가들이 많고, 이곳에는 재개발이나 재건축 요구가 많다. 그렇다고 재개발을 통해 고가의 아파트를 세우는 것만이 능사가 아니다. 그 과정에서 비용을 감당할 수 없는 다수의 서민층과 저소득층이 쫓기듯 나가게 된다. 신규 주택비용을 감당할 수 있을 만큼 충분한 자산을 보유하려면, 젊은 연령대에서는 쉽지 않은 일이다. 젊은 세대가 그 정도 자산을 보유했다면 보수성향일 가능성이 크다.

그러므로 설사 재건축(재개발)을 하더라도 중소형 중심으로 지어야 하며, 임대주택 의무화 비율도 높여서 40대 이하의 세대가 서울에서 거주할 수 있도록 해야 한다.

'표11'을 참고해보면, 서울은 민주당 성향 유권자가 다수를 이뤘다고 해도 가장 진보적인 X세대와 586세대는 경기도보다 낮은 분포를 보였다.

자식들과 함께할 수 있는 거주 공간을 확보하기 위해 집값이 저렴한 경기도로 이전했기 때문일 것이다.

최근 서울 인구는 감소중이고 경기도는 증가 중인 이유가 부동산 문제와 연결되어 있다.

서울에 민주당 성향의 유권자들을 유지할 수 있는 핵심 정책은 부동산 정책이다. 이를 위해 서울에 중·소형의 중저가 주택을 대량으로 공급해야 한다.

주택이 모자라서 집값이 오르는 것인데, 규제와 세금만 잔뜩 만들어놓으면 그것이 고스란히 다시 주택가격에 적용된다. 전세대란의 이유도 비슷하다.

서울의 자가 비율은 절반도 안 되는 40%대 수준이다. 이런 자가 비율은 2000년 이후부터 꾸준하게 유지되고 있다. 다가구 주택이나 다세대 주택 등이 많기 때문인데, 어찌 되었든 집이 많아야 임대 상품들도 수요자를 찾기 위해 경쟁을 할 것이고, 그러면서 자연스럽게 임대가격(전세가격)이 낮아질 것이다.

그것이 시장 원리다.

현재 부동산 정책이 거듭해서 실패하고 있는 가장 큰 이유는 공급 부족 때문이다.

더 정확하게 말하면, 수도권이 아닌 서울시 안에 괜찮은 상품으로 만들어진 소형 및 중소형 주택이 부족하다는 것이다.

근래에 폭증하는 1~2인 가구용 주택도 필요하지만, 가정을 이루고 자녀를 키우며 거주할 수 있는 최소한의 크기인 66㎡(20평) 이상의 중소형 주택도 다량으로 필요하다.

좋은 상품을 제대로 공급하지도 않아놓고, 부동산 가격을 잡겠다는 것은 못도 없이 망치질만 하는 꼴이다.

텃밭 지역구와 스윙보트 지역구의 차이점

지역발전 정도를 보면 텃밭 지역구 구분이 더 확실해져

서울 강북지역이 민주당 텃밭 지역구라는 점은 지역발전 정도, 지역 내 총생산 등의 지표를 보면 맞아떨어지는 점이 많다. 서울과 경기도는 인구도 많고 산업체가 집중되어 있으므로 다른 광역지역의 총생산 지표와 비교하기에는 무리가 있지만, 자치구 단위로 세분해서 본다면 민주당 텃밭임을 확인해 볼 수가 있다.

먼저 광역단위로 '지역 내 총생산'을 비교하면서, 스윙보트 지역과 텃밭지역의 차이점을 확인해 보겠다. 광역단위 지역에서 대표적인 스윙보트 지역이 바로 충청남도다. 통계청 자료에서 충남의 2018년 지역 내 총생산은 117.7조 원이다. 그리고 민주당과 국민의힘의 대표적인 광역단위 텃밭 지역인 광주와 대구의 지역 내 총생산은 최하위권인 각각 39.8조와 56.7조다.

경쟁할 세력(정당)이 없다보니 발전이 더딘 것이다. 텃밭지역이다 보니 경쟁이 치열한 지역보다는 개발지원에 대하여 절박함이 부족할 수 있다. 원인이야 어찌 되었든, 각 정당의 텃밭지역을 스윙보트 지역과 비교하면 지역 발전 정도가 매우 부실하다. 이미 알 만한 사람은 다 알고 있다.

그럼 국회의원 선거구 단위에서 민주당의 텃밭인 서울 강북과 경기지역을 확인해 보겠다. 국가통계포털 2016년 자료를 참고해 살펴

보기로 한다(현재 가장 최근 지표임).

　서울에 대표적인 스윙보트 지역(자치구)들의 지역 내 총생산 비용을 보면, '종로구 27.3조, 중구 50.1조, 영등포구 26.1조, 송파구 20.0조, 용산구 9조' 등으로 나타났다.

　경기지역에 대표적인 스윙보트 지역(시·군·구)들의 지역 내 총생산 비용은, '성남시(분당구 포함) 24.9조, 안산시 23.2조, 용인시 32.6조, 화성시 48.4조, 평택시 21.9조' 등으로 나타났다.

　반면에 민주당 텃밭 지역인 서울시내 자치구들의 지역 내 총생산 비용을 보면, '중랑구 3.5조, 성북구 4.5조, 강북구 2.4조, 도봉구 2.4조, 은평구 3.3조' 등으로 나타났고, 경기도의 민주당 텃밭지역인 '시·군·구'들의 지역 내 총생산 비용은 '오산시 4.9조, 구리시 3.5조, 안성시 6.8조' 등이었다.

　스윙보트 성향의 자치구 중에 '지역 내 총생산 비용'이 가장 낮고 인구수가 가장 적은 곳이 용산구다. 그런데 민주당 텃밭지역 자치구들 대부분이 인구수는 용산구보다 2배가 넘지만 '지역 내 총생산 비용'은 용산구의 절반도 되지 않았다.

경쟁이 없는 곳은 발전도 없다

　상대적인 자료이기는 하지만, '경쟁이 없는 곳은 발전도 없다.'는 매우 보편적인 논리가 확인됐다. 서울과 경기 지역에서 민주당의 가장 큰 적은 지역 내의 무경쟁(無競爭)일 것이다. 민주당이 앞으로 어떠한 것에 집중해야 할지 암시해준다.

　과거 민주당은 텃밭 지역구인 호남 지역의 다선의원들에게 험지

(險地) 출마를 권유한 적이 있었다.

이제 서울도 텃밭이다. 과거에 호남 지역의 다선의원들에게 그랬던 것처럼, 서울 텃밭지역의 다선의원들에게도 비슷한 잣대를 들이댈 수 있을지 두고 볼 일이다.

3선 이상의 다선의원이 버티고 있는 민주당의 텃밭 선거구에, 정치 신인이나 여성 정치인이 도전하는 일은 너무나 버거운 일이다. 지역의 맹주나 다름없는 기성 정치인을 상대로, 가산점 정도의 혜택을 믿고 도전하라는 것은 그야말로 생색내기일 뿐이다.

선거 때마다 등장하는 여론조사들을 보면, 많은 선거구에서 현역의원에 대한 교체 요구가 매우 높게 나타난다. 필자가 기억하기로는 일부 몇몇 선거구를 제외하고 대부분의 선거구에서 그랬다. 민주당 성향의 유권자가 다수여서 민주당 후보가 승리하는 지역이지만, 경쟁이 없고 지역발전이 더딘 것에 대한 유권자의 지적이 분명히 존재하고 있는 것이다.

하지만 민주당 간판만 있으면 승리가 가능한 텃밭 지역구다 보니, 현역의원들은 일단 버티면 그만이다.

그렇기 때문에 다선의원들의 자발적인 양보나 퇴진을 기대할 수 없다. 민주당은 이런 괴리(乖離)를 잡아내야 의회에서 장기적인 우위를 점할 수 있을 것이다.

텃밭 선거구라면 당내 경쟁이라도 높여야 한다. 21대 총선 당시 일부 지역구에서 보였던 것처럼, 현역의원이 입각을 하게 되어 공백이 생긴 선거구에 청와대에서 나온 인사가 전략공천으로 대신하는 것은 아무 의미가 없다.

그나마 그런 교체도 몇 되지 않았다.

쇄신을 거부하다 몰락하여 아직도 헤매고 있는 보수정당(국민의힘)의 사례가 민주당에도 오지 말라는 법은 없다.

유권자는 언제 변할지 모른다. 정치는 생물이다.

지역 맹주가 사라진 이후, 터주세력은 지역 발전에 방해가 되는 존재

과거 3김 시대만 하더라도 특정 권역별 지역마다 맹주(YS-부산·경남, DJ-호남, JP-충청)가 있었고, 이러한 맹주를 통해 터주세력이 존재했다. 우리 정치에 굵직한 기록을 남겼던 3명의 큰 정치인들은 지역기반의 정치를 해왔고, 이를 통해 각자 정권을 창출하였다.

이후 그들에게 정치적 뿌리를 두고 있는 세력들이 각 지역에 터주세력으로 남아 있지만, 지역의 맹주까지는 되지 못했다. 그렇게 지역의 맹주가 사라지고, 터주세력만 존재하는 상태에서는 지역의 발전이 용이하지 못하다. 텃밭에서 과실만 따먹고 텃밭을 양전(良田)으로 가꾸지는 않는 것이다.

지역의 맹주가 사라지고 터주세력 역시 존재하지 않은 충청 지역만 예외였다. 지역의 맹주뿐만 아니라 터주세력마저 사라진 충청 지역은, 대선과 총선에서 민주당과 보수정당 사이에서 승리의 추와 같은 역할을 하였다.

그러다보니 양당은 충청 지역을 두고 경쟁을 하게 되었고, 그러한 경쟁이 충청지역의 발전을 가져오는 결과를 낳았다.

이는 서울 내에서 강북지역과 스윙보트 지역 간에 나타나는 차이와도 연관이 된다. 민주당 공천만 받으면 당선이 거의 확실시되는 지역과 그렇지 않은 지역(민주당과 보수정당이 번갈아 승리하는 지역)들 간에, 지역 발전과 지역 생산규모의 차이가 확연하게 나타나고 있다. 이미 정치권에서는 많은 사람들이 인식하고 있는 얘기다.

그동안 보수정당의 텃밭으로 여겨졌던 강남권이나 분당지역도 보수정당이 일방적으로 승리하지만은 못했다.

이미 강남구에서 민주당 후보가 국회의원으로 선출되기도 했고 구청장도 선출됐다.

한때 '대구보다 더 확실한 보수정당의 텃밭'이라 불리었던 분당지역도 2011년 재·보궐 선거에서 당시 민주당 당대표였던 손학규 후보가 승리했다. 이는 20대 총선과 21대 총선까지 이어진다. 용인시도 최근 10년 간 선거에서 보수정당과 민주당 후보가 승리를 번갈아 가져갔다.

강남권인 송파지역에서도 민주당 후보와 보수정당 후보가 번갈아 승리를 나눠 가져가고 있다.

이들 지역은 서울·경기 내의 다른 지역보다, '지역 내 총생산 비용'도 높으며 지역의 발전 상황도 매우 우수한 곳이다. 터주세력을 두지 않고 정당 간 경쟁이 치열하다 보니 자연스럽게 지역발전까지 이어진 것이다.

지역에 터주세력이 존재하지 않은 곳과 확실한 터주세력이 존재하는 곳의 차이는, 해당 지역의 발전도나 집값으로도 확인된다.

인간은 욕망의 존재다. 누구라도 더 발전하고 싶고, 자신이 잘 되면 좋은 동네 또는 발전이 잘 된 지역으로 가고 싶어 하는 것은 당연한 일이다.

누구나 상황만 된다면 강남으로 가고 싶은 욕망은 자연스러운 일이다. 그것이 불가능하다면 지역의 정치적인 터주세력을 바꾸는 것도 한 방법이다.

그러므로 민주당이 텃밭지역에서 장기간의 승리를 가져오겠다면, 정당 내의 자체 경쟁력이라도 끌어올려야 한다. 터주세력이 지속되는 상태에서 지역의 발전이 계속 뒤처진다면 언젠가 유권자들도 다른 선택을 해야 할 상황이 오게 될 것이다.

중도성향 계층의 움직임을 잘 봐야

경제에 민감한 중도계층의 움직임

서울·경기 지역은 민주당 성향의 세대가 다수를 이룸으로써, 민주당에게 우세한 정치지형이 완성되었음을 확인했다. 이는 수도권에서 '보수의 도시'라고 불리었던 경기도 성남시 분당구을 선거구도 비슷하였다.

민주당 성향 세대가 다수가 된 영향으로 인해, 보수 텃밭이라고 불리던 분당지역에서 20대 총선과 21대 총선까지 연이어 민주당 후보가 승리했다.

그런 분당구을 지역에서 일어난 흥미로운 변화를, 데이터를 통해 잠시 소개해보겠다.

분당을 선거구는 60세 이상 인구가 매우 적다. 경기도 평균보다도 2%p 적다. 경기도는 전국에서 60세 이상 인구가 가장 적은 분포를 보였는데, 그런 경기도 평균보다도 낮았다면 60세 이상 인구가 매우 적은 것이다.

반면에 40대(X세대) 인구분포가 가장 높고, 30대(Y세대) 인구는 서울·경기 평균보다 높다. 586세대인 50대 인구는 서울·경기보다 낮다. 다시 말해 분당을 선거구는 우리나라에서 보기 드물게 3040세대가 주류인 도시다. 304050세대의 인구분포 합이 49%이고, 20대까지 포함하면 73.3%에 이른다. 유권자 분포로만 본다면 80% 가까운 유권자가 50대 이하다.

*표16) 경기도 성남시 분당구을 선거구의 연령대별 인구 분포
        (10세 단위)

		0-9세	10대	20대	30대	40대	50대	60세 이상
2020년 9월 기준	전국	7.8%	9.3%	13.1%	13.4%	16.1%	16.7%	23.7%
	서울	6.6%	8.2%	15.1%	15.3%	15.9%	15.8%	23.2%
	경기도	8.6%	10.0%	13.4%	14.3%	17.2%	16.6%	19.9%
2019년 기준	분당을	7.6%	11.2%	**14.3%**	**15.4%**	**18.3%**	**15.3%**	17.9%

*국가통계포털 자료 인용

　보수 텃밭이라 불렸던 분당을 지역에서 민주당 후보가 연이어 승리할 수 있었던 주요 원인은 60세 이상 인구가 매우 적었기 때문이다. 분당지역은 민주당 성향 세대가 절대적인 다수를 이루고 있다.

　분당구을 지역은 주거수준(주택 가격)과 소득수준에서 중산층을 두텁게 형성하고 있기 때문에, 보수 성향을 보일 가능성도 있다. 그러나 최근 선거들을 보면, 분당 지역도 민주당 성향의 세대가 다수인 선거 지형에 대한 결과와 흐름을 같이 해왔다.

　재미있는 점은 민주당 성향의 유권자가 다수가 된 이후부터, 분당을 선거구의 정당 득표율이 전국평균 득표율과 비슷한 양상을 보였다는 것이다. 그런데 갑자기 21대 총선에서는 다르게 나왔다. 21대 총선에서 비례선거는 민주당(더불어시민당)이 뒤졌다. 그러면서 지역구 선거에서는 민주당 후보가 승리했다. 여러 모로 암시하는 점이 많아 보인다.

*표17) 분당을 선거구 2016년 이후 선거 결과

- 2016년 20대 총선 비례대표 결과(투표율 전국 58.0%, 분당을 64.3%)

	새누리당	민주당	국민의당	정의당
전국 평균	33.5%	25.54%	26.74%	7.23%
분당을 결과	33.5%	25.2%	26.5%	9.0%

- 2017년 19대 대선 결과(투표율 전국 77.2%, 분당을 81.5%)

	문재인	홍준표	안철수	유승민	심상정
전국 결과	40.08%	24.03%	21.41%	6.76%	6.47%
분당을 결과	40.1%	22.8%	21.8%	9.1%	5.8%

- 2018년 7회 지선 광역비례선거 결과(투표율 전국 60.2%, 분당을 62.6%)

	민주당	한국당	바른미래당	정의당
경기도 전체	52.81%	25.47%	7.78%	11.44%
분당을 결과	46.3%	30.1%	11.2%	11.1%

- 2020년 21대 총선 결과(투표율 전국 66.2%, 분당을 73.6%)

	미래한국	더불어시민	정의당	국민의당	열린민주
비례선거 전국 평균	33.84%	33.35%	9.67%	6.79%	5.42%
분당을 비례선거 결과	34.0%	24.4%	8.6%	8.4%	5.7%
분당을 지역구 결과	45.1%	47.9%	2.11%		
	미래통합 후보	민주당 후보	정의당 후보		

중도계층의 움직임. 민주당은 위기 상황

20대 총선(비례선거)과 19대 대선에서 전국 평균 득표율과 분당구을 득표율은 놀랄 정도로 비슷한 수치를 보인다(특히 민주당과 중도정당 및 진보정당 득표율). 2018년 7회 지방선거에서는 정의당 득표율은 비슷했지만, 민주당 득표율은 조금 빠지면서 중도보수 정당과 보수정당으로 일부 옮긴 것처럼 보인다.

21대 총선 때는 다른 정당들의 득표율은 전국평균과 비슷하게 나왔지만, 민주당(더불어시민당) 지지율은 전국 평균보다 9%p 가까이 낮아졌다. 갑자기 민주당 지지가 빠진 것이다. 그런데 지역구 후보는 민주당 후보를 선택하여 재선 의원으로 만들어준다.

분당구을 지역은 민주당 성향이 강한 세대가 절대 다수를 이룬다. 특히 진보적이라는 X세대(40대)가 인구분포 상 가장 많다. 하지만 소득수준과 재산수준을 보면 중도보수적인 성향을 띠는 지역이다. 민주당 성향을 보이는 세대가 많지만, 다른 요인으로 인해 같은 세대 안에서도 중도보수적인 입장을 보이는 계층이 밀집된 지역이다.

그래도 2016년과 2017년에는 민주당의 전국 평균 득표율과 거의 비슷한 득표율을 보였다. 그 기간 동안에 분당 주민도 똑같이 분노했고, 똑같이 행동했으며, 비슷하게 (정당과 후보를) 판단했다.

2018년에는 다소 중도보수 쪽으로 이동했지만 여전히 민주당 강세가 유지됐다. 그러다가 21대 총선에서 민주당 지지를 거둬들였다. 중도와 중도보수적인 유권자들이 다른 선택을 한 것이다. 그러면서 지역 내에 직접적인 영향을 주는 지역구 후보는 여전히 민주당 후보에게 손을 들어줬다.

민주당 후보가 분당구을 유권자의 입맛에 맞는 전략을 쓰고 정책을 내놓는 등의 원인도 있을 것이다. 민주당 후보는 경제와 금융 전문가를 자처하였고 중도적 스탠스를 강조하는 등 경제에 민감한 분당 유권자의 기호에 맞았을 수도 있다.

어쨌든 분당의 중도계층과 중산층은 인물 선택에서는 중도적인 민주당 후보를 선택하였지만, 정당 선택에서는 중도적 색체가 조금은 의심되기 시작한 민주당(더불어시민당)에서 발을 빼기 시작했다.

그렇다고 해서, 국민의힘(미래통합당/미래한국당)을 선택한 것도 아니다. 19대 대선과 20~21대 총선에서 보수정당이 받은 전국 평균 득표율과 분당구을 득표율은 거의 차이가 나지 않는다. 2018년 지방선거에서 한국당이 좀 더 높게 나왔지만, 21대 총선은 전국 평균과 다를 바 없다.

분당 지역이든 다른 어디든 중도계층과 중산층은 국민의힘을 지지할 준비가 되지 않았다는 것이다. 국민의힘에게 기회는 아직 없어 보이지만, 민주당이라고 마냥 안심할 수가 없다.

정례 여론조사에서도 민주당 지지율은 문재인 정부 집권 초반기보다 낮아지고 있다. 민주당 지지율의 하락은 중도계층의 이동이 원인이다. 민주당은 중도계층이 지지하는 중도주의 정당이다. 이제 민주당이 깊게 고민해야 할 시점이 왔다.

중도계층이 국민의힘(보수정당)을 지지하는 쪽으로 돌아서기는 쉽지 않겠지만, 유권자들이 특정한 정당에 대한 지지를 철회하는 방법은 다양하다. 자만해서는 안 된다.

국민을 자신보다 아래로 보는 거만함으로는 정치를 논할 자격 없어

제2장 〈서울·경기는 민주당 우세 광역시도, 서울 강북은 민주당 텃밭〉을 끝내면서 몇 가지 첨언(添言)하고 싶은 것이 있다.

유권자는 위대하다. 우리 국민은 정치인이나 정치권 호사가보다 훨씬 더 똑똑하고 현명하다. 그런데 자신의 뜻대로 되지 않는다고 유권자(국민)를 '개, 돼지'처럼 묘사하고 '표나 찍어주는 기계'라는 식으로 비하하는 사람이 아직도 더러 존재한다.

그런 사람은 정치바닥에 있을 자격이 못 된다. 국민을 무서워하지 않는 것도 모자라, 국민을 비하하고 하대하는 것은 무식을 넘어 오만방자함의 극치다. 그런 사람이 경세(經世)와 치국(治國)의 권력을 논하거나 탐한다는 것은 웃기는 일이다.

　하다못해 겉으로 보이는 '쇼'일지라도, 국민과 유권자 앞에서 겸손하지 않은 사람은 정치인이 되어서도 안 되고, 정치바닥에 있을 자격도 없다.

3장　지금은 중도 중심에 실용주의 시대

문제는 경제야!
사람 문제가 아니라 제도의 문제
사회 문제. 보수적 관점을 버려야 해결이 가능하다
정치도 문제야!

문제는 경제야!

여당의 선거 승리. 절반은 경제가 보장해준다

경제가 선거에 미치는 영향은 아무리 강조해도 지나치지 않다. 경제 문제는 곧바로 민생과 연결되기 때문이다.

대기업의 매출증대에 의한 낙수효과가 사라졌다고 하지만 영향이 전혀 없는 것이 아니다. 대규모 취업과 양질의 일자리는 그 대부분이 기업의 투자에 의해서 이뤄진다. 대기업의 대규모 투자는 중견기업과 중소기업들의 확장에도 영향을 미치고, 기업들이 들어선 지역에는 새로운 상권이 생기거나 기존 상권이 활력을 갖게 된다. 나아가 우리나라 전체 취업자 가운데 25% 이상의 비율을 차지하는 자영업자들의 매장은, 기업에서 근무하는 근로자들이 물건을 구매해줘야 유지가 된다.

경제 발전이나 퇴보를 가늠해보는 가장 대표적인 지표가 경제성장률이다. 경제성장률은 한 나라의 경제가 일정 기간에 얼마나 성장했는가를 나타내는 지표다. 한국경제연구원에 따르면, 국내총생산이 1%p 떨어지면 저소득층(소득 170만 원 이하)은 19만 명 이상이 늘어난다고 한다. 그만큼 경제성장률은 민생과 직접 닿아 있는 지표다.

소득불평등 여부를 알아볼 수 있는 지표 중의 하나가 지니계수인데, 경제성장률이 상승하면 지니계수가 개선된다는 점은 여러 곳에서 확인된 바다.

*표18) 2000년 이후 한국 경제성장률 및 대내외 환경 비교

년도	성장률	대내외 환경	선거	비고
2000	9.1%		16대 총선	
2001	4.9%	911 테러		
2002	7.7%	2002 월드컵	16대 대선	노무현 정부 탄생
2003	3.1%	사스. 이라크전쟁		
2004	5.2%		17대 총선	열린우리당 의회 과반
2005	4.3%			
2006	5.3%		5회 지선	한나라당 압승
2007	5.8%	서브프라임모기지	17대 대선	이명박 정부 탄생
2008	3.0%	세계금융위기	18대 총선	보수(한나라당) 압승
2009	0.8%	신종플루		
2010	6.8%	천안함/연평도 폭격	5회 지선	민주당 선전
2011	3.7%			
2012	2.4%	유로존 위기	19대 총선/18대 대선	새누리당 승리/박근혜정권 탄생
2013	3.2%			
2014	3.2%	세월호 참사	6회 지선	민주당 승리
2015	2.8%	메르스		
2016	2.6%	국정농단	20대 총선	민주당 1당. 3당 원내교섭
2017	3.2%	대통령 탄핵	장미대선(19대 대선)	문재인 정부 탄생
2018	2.7%	평창올림픽	7회지선	민주당 압승
2019	2.0%	미중 무역 분쟁		
2020	(-1.2%)	코로나19	21대 총선	민주당 압승

*경제성장률 인용-한국은행 자료. 기타 인용-데이터정치경제연구원 자료
*2020 경제성장률은 예상치. 금융연구원 예측.

2000년 이후 해마다 기록된 경제성장률과 선거 결과를 비교해 보자. 경제가 좋아졌거나 회복할 경우, 그때 당시의 여당이 승리하게 되는 것은 당연한 결과다. 반대로 경제가 좋지 않으면 여당의 패배나 정권교체로 이어졌다.

문민정부의 경제실패로 반사이득을 얻으며 집권한 '국민의 정부'는, IMF 구제금융 이후 역성장을 극복하고 2000~2002년 동안 높은 경제성장률을 보였다.

그런 영향으로 2002년 대선에서 재집권이 가능했다.

그렇게 탄생한 노무현 정부는 경제성장이 잠시 주춤(2003년)했으나, 17대 총선이 있던 2004년에 5.2%라는 높은 성장률을 보인 덕분으로 여당인 열린우리당이 단독으로 의회 과반을 차지했다.

이명박 정부는 임기 초반에 세계금융위기 여파로 2009년도에 0%대의 성장률을 보였다. 그에 더해 김대중, 노무현 두 명의 전직 대통령들의 서거로 인한 여파로 2010년 제5회 지방선거에서 여당이 어려움을 겪었다.

2010년의 성장률은 높았으나, 전년도에 성장률이 형편없었기 때문에 경제가 좋아졌다기보다 회복하는 과정으로 보아야 한다.

이후 2011년부터는 안정적인 성장률을 보였다. 대선과 총선이 있던 2012년 당시는, 유로존 위기로 인해 우리나라 경제도 영향을 받아 주춤했다.

하지만 세계경제가 흔들렸던 것과 비교하면 상대적으로 선방했다. 그리고 그해 새누리당은 총선과 대선에서 모두 승리를 거둔다.

박근혜 정부는 취임 2년 후부터 경제성장률이 계속 하락하고 있었다. 이념몰이에만 치중했던 박근혜 정부에 대한 민심은 경제가 나빠지면서 더 악화됐고, 그것이 20대 총선의 결과와 촛불로 이어졌다고 할 수 있다. 박근혜 정부의 몰락은 경제적 상황이 중요한 원인 중의 하나가 되었다고 볼 수 있다.

이렇게 경제성장률이 선거결과와 연관되는 것은 너무나도 당연한 일이지만, 도무지 이해가 되지 않는 경우가 하나 보인다.

　노무현 정부 중·하반기에 경제성장률은 그리 나쁘지 않았다. 2005년에 잠시 주춤했으나 최악으로 떨어진 것도 아니며, 2006년과 2007년에는 회복됐다. 특히 2007년에는 서브프라임 모기지론 사태에도 불구하고 5.8%라는 꽤 높은 성장률을 보였다. 그렇다면 무엇 때문에 노무현 정부에서 경제가 좋지 않았다고 한 것인지, 그리고 높은 성장률을 보였음에도 여당이 대선에서 패한 이유가 무엇 때문인지 궁금하다.

양극화 심화와 부동산 문제에 발목 잡힌 노무현 정부

　흔히들 선거에 미치는 영향 중 절반 이상이 경제라고 한다. 그런데 경제성장률이 나쁘지 않았던 노무현 정부를 보면 그렇지만도 않아 보인다. 결론부터 얘기한다면, 노무현 정부에서 경제문제는 경제성장률 외에 다른 지표와 원인으로 보는 시각이 많다. 바로 양극화와 부동산 문제다.

*표19) 노무현 정부 당시 경제성장률 비교(나쁘지 않았던 성장률)

	2003	2004	2005	2006	03-06 평균	07(전망)
세계경제	4.0%	5.3%	4.8%	5.4%	4.9%	5.2%
선진경제권	1.9%	3.2%	2.5%	2.9%	2.6%	2.5%
신흥시장 및 개도국	6.7%	7.7%	7.5%	8.1%	7.5%	8.1%
한국	3.1%	4.7%	4.2%	5.0%	4.3%	4.9%

*자료출처 : 청와대 비서실−선진국 도약의 10년

양극화를 알아보는 대표적인 데이터가 지니계수다. 지니계수는 소득분배를 나타내는 지표다. 2002년에 도시근로자가구 시장소득의 지니계수는 0.298이었는데, 노무현 정부 시절인 2006년에는 0.303으로 약간 커졌다. 양극화가 확대되었다.

양극화를 알아볼 수 있는 또 다른 지표를 보면, 소득5분위(상위 20%) 도시근로자가구의 시장소득이 2002년부터 2006년 사이에 4.65배에서 5.03배로 높아졌고, 가처분소득은 4.44배에서 4.63배로 높아졌다. 그러나 같은 기간에 하위 20%의 실질소득은 거의 늘어나지 않았다. 양극화가 심해진 것이다.

특히 심각했던 분야가 자영업자들이었다. 자영업자들의 2003년과 2004년 소득은 마이너스였고, 노무현 정부의 임기 동안 소득이 늘지 않았다. 2000년 이후 신용카드 사용이 많아지면서 자영업의 소득포착률이 높아졌는데도, 통계상에서는 자영업자들의 소득이 줄거나 제자리였다. 그렇다면 자영업자들의 실제적인 소득은 매우 악화된 것이라고 해석할 수 있다. IMF 여파로 감소된 매출이 회복되지 못한 것이다.

많은 자영업자들이 하위소득자로 내려갔을 것으로 추측된다. 그러니 자영업자들의 분노가 클 수밖에 없었을 것이다. 자영업자들은 우리나라 경제 인구에서 높은 분포를 차지하는 만큼 그 울림이 컸을 테고, 자영업자들의 하소연은 정치권과 언론, 그리고 일반 국민에까지 큰 영향을 미쳤을 것이다.

경제와 관련하여 노무현 정부를 흔들었던 것이 또 하나 있었다.
바로 부동산 폭등이었다. 부동산 폭등이 민생을 크게 흔들었다. 정직하게 돈을 벌어서는 자기 집을 구할 수 없다는 심리적 허탈감이 국민들에게 크게 다가왔을 것이다. 그리고 이 점을 보수언론과 보수 정당이 집요하게 파고들었다.

양극화와 부동산 폭등이라는 두 가지의 문제는 노무현 정부가 나름 괜찮은 경제성장률을 보였음에도 불구하고, 정권을 넘겨주게 된 원인이 됐다.

2020년 12월 현재의 경제상황을 보자면, 정부여당이 심각하게 받아들여야 할 사례라고 할 수 있다. 문재인 정부 취임 이후 우리나라 경제성장률은 계속 하락했다. 그리고 부동산 문제는 잘못된 정책 방향으로 인해 계속 악화되고 있다. 양극화도 심화되고 있다.

문재인 정부는 코로나19 극복에 대하여 좋은 평가를 받았지만, 실상은 안으로 곪고 있는 상황이다. 많은 경제 전문가들이 코로나 위기로 인해 중산층이 엷어질 것으로 예상하고 있으며, 대기업과 중소기업 간 그리고 부유층과 저소득층 간 격차가 전례 없이 벌어질 것으로 예측하고 있다.

노무현 정부에서의 경제성장률은 나쁘지 않았다. 하지만 양극화와 부동산 문제가 노무현 정부의 경제 성적표에서 발목을 잡았다. 그런데 문재인 정부는 경제성장률 자체가 아예 좋지 못하다. 양극화와 부동산 문제도 심각한 수준이다.

실제로 2020년 11월경부터 문재인 대통령의 국정평가와 여당의 지지율이 동반 하락했으며, 12월에는 그 하락 추세를 막아내지 못하고 있다. 겉으로는 여러 가지 요인으로 보이지만 가장 큰 문제는 경제일 가능성이 크다.

그만큼 경제문제는 정치와 선거에 큰 영향을 미친다.

역대 대선에서 각 후보들이 경제 어젠다를 앞 다투어 내놓은 것만 봐도 쉽게 알 수 있다.

*표20) 13대 대선 이후 대통령 당선인의 핵심 메시지

연도	메시지	주요내용	비고
1987	보통사람들의 시대	알뜰살뜰 몇 년 모아 아담한 내 집 마련하는 나라	첫 직선
1992	新한국창조	노태우 정부 고도성장(연평균 9.22%) 배경	재집권
1997	경제를 살립시다	외환위기. IMF구제금융 신청	정권교체
2002	특권과 반칙 없는 세상	국민의정부 성장률 5.62%(첫해 -5.1%불구)	재집권
2007	경제대통령	부동산 폭등, 비정규직 양산 등	정권교체
2012	경제민주화·국민대통합	소득격차 확대. 실업률 증가	재집권
2017	일자리대통령	낮은 성장률(연 3.03%). 청년실업 확대 등	대통령탄핵

*출처 : 데이터정경연구원

대통령 직선제 이후 정권교체나 재집권 여부는 경제 상황과 각 후보의 경제 정책에 의해 결정되었다고 해도 과언이 아니다.

2017년 장미대선은 대통령 탄핵에 이은 선거였는데, 대통령 탄핵의 불씨가 되었던 '촛불'은 경제적 기회의 공평함이 무너진 것과 함께 불공정한 경제적 상황이 불을 붙였던 것이다. 공정하지 못하고 공평한 기회가 사라진 일자리 문제, 특히 청년실업 문제가 매우 심각했다. 그래서 탄핵 직후 바로 진행된 대선에서 문재인 후보는 '일자리 대통령'이라는 경제적 구호를 내세웠다.

자본주의의 나라 미국. 경제가 선거 결과 좌우

*표21) 2003년 이후 미국 경제성장률 및 대내외 환경 비교

년도	성장률	대내외 환경	선거	비고
2003	2.86%	사스. 이라크전쟁		
2004	3.80%		2004 대선	조지 W 부시(공화당) 재선 승리
2005	3.51%			
2006	2.85%		중간선거	상하원 민주당 승리(상원 동석)
2007	1.88%	서브프라임모기지		
2008	-0.14%	세계금융위기	2008 대선	오바마(민주당) 승리
2009	-2.54%	신종플루		
2010	2.56%		중간선거	상하원 공화당 승리(But상원 과반은 민주당)
2011	1.55%			
2012	2.25%	유로존 위기	2012 대선	오바마(민주당) 재선 승리
2013	1.84%			
2014	2.53%		중간선거	상하원 공화당 승리
2015	2.91%	메르스		
2016	1.64%		2016 대선	트럼프(공화당) 승리
2017	2.37%			
2018	2.93%		중간선거	상원 공화당 선전, 하원 민주당 승리
2019	2.32%	미중 무역 분쟁		
2020	(-4.3%)	코로나19	2020 대선	바이든(민주당) 승리

*2020년 경제성장률은 전망치. IMF WEO 전망

경제가 선거와 정치에 매우 큰 영향을 끼친다는 것은 외국 사례에서도 쉽게 확인된다. 특히 자본주의의 나라 미국은 확실한 표본이 되어준다. 참고로 미국은 경제대국이기 때문에 경제성장률 지표의 등락이 작더라도, 실제 경제에서는 영향이 매우 크다.

2019년 기준으로 명목 GDP가 미국은 20.49조 달러이고, 우리나라는 1.62조 달러다. 그만큼 미국과 한국의 경제규모는 비교 자체가 되지 않는다. 미국의 경제성장률에서 0.1%p와 우리나라 경제성

장률에서 0.1%p는 그 규모가 다르다. 엄청난 차이가 있다. 미국에서 2~3% 정도의 경제성장률이면 금액으로만 쳐도 우리나라의 수십 배에 달한다.

　2004년 부시의 재선은 3.80%라는 높은 경제성장률 덕이었다. 언론 등에서는 전쟁 중에 장수를 바꾸지 않기 때문이라고 했지만, 그것은 만들어낸 말일 뿐이다. 부시의 재선 승리는 전년도와 비교해 1%p 가까이 높아진 경제성장 덕분이다.

　그러나 2004년에 정점을 찍었던 경제성장률이 이후부터 계속 하락했다. 그 결과 여당인 공화당은 2006년 중간선거와 2008년 대선에서 연이어 패배하고 민주당이 집권한다.

　2012년에는 유로존 위기가 있었음에도 전년도보다 경제성장률이 올라갔다. 그 덕분에 오바마는 재선에 성공할 수 있었다.

　2016년에 경제성장률이 뚝 떨어지는데 그 여파가 트럼프 승리로 이어졌다.

　2020년에는 코로나19의 영향이 트럼프의 재선을 막았다. 2020년 3분기에 미국경제가 일시적으로 회복되어 트럼프가 다소 유리할 것으로 보였지만, 트럼프 역시 코로나19의 영향에서 벗어나지 못했다. 한국과 달리, 코로나19 대처를 잘 해내지 못했던 것이 트럼프의 재선 실패와 관련되었을 것으로 보인다.

　문재인 정부의 경우는 임기 내내 경제성장률이 좋지 못했음에도 2020년 21대 총선에서 여당이 압승을 했다. 코로나19의 영향 때문이다. 코로나19는 경제적 영향까지 삼켜버리는 초대형 변수였다. 한국이나 미국이나 2020년 선거는 경제적 영향보다는 코로나19가 더 크게 영향을 미친 것으로 보인다.

한국은 코로나19 방역 모범국가였다. 반면, 미국의 트럼프 대통령은 이를 등한시했다. 그 결과 한국은 총선에서 여당이 압도적 승리를 했던 데 반해, 미국은 트럼프가 재선에 실패했다. 코로나19가 경제적 영향까지 삼켜버린 것이다.

코로나19로 인해 경제가 나빠지지 않은 나라가 거의 없다. 그러니 코로나19 상황에서 진행된 선거는, 코로나19에 얼마나 잘 대처했고 그렇게 하지 못했는가에 대한 평가가 기준이 되어버렸다. 코로나19가 정치와 선거에 얼마나 지속적으로 영향을 미칠지 모르겠지만, 이에 대한 연구가 필요해 보인다.

경제에 대한 평가는 상대평가가 아닌 절대평가

매일경제신문에서 연재했던 〈경제기사 쉽게 읽는 법〉의 기사 내용을 인용하자면, 경제성장률 둔화의 의미를 '취업유발계수'와 연관지어 볼 수 있다고 한다. '취업유발계수'란 10억 원의 상품·서비스를 산출할 때 직·간접으로 창출되는 고용자 수를 뜻한다. 만약 경제성장률이 0.1%p 떨어져서 실질GDP가 1조 5,600억 원이 감소한다면, 2014년 '취업유발계수' 기준으로 직·간접 고용이 약 1만 8,876명이나 줄어든 것으로 볼 수 있다고 한다.

2020년 우리나라의 실질 GDP 규모는 더 커진 상태에서 역성장을 했으니, 이를 취업유발계수의 기준으로 보면 2020년에 벌어진 직·간접 고용의 감소는 엄청난 숫자로 나오게 된다. 그러므로 마이너스

경제성장률(역성장)은 우리 경제가 얼마나 어려운지를 직접 알려주는 지표인 것이다.

 우리나라의 올해 경제성장률이 OECD 선진국들과 비교해 상위에 랭크되었다고는 하지만, 현실은 마이너스(역성장)다. 민생현장과 취업시장에서 국민들이 느끼는 고통은 엄청나다는 얘기다.
 역성장이지만 순위에서 앞섰으니 그걸로 '퉁'칠 수 있는 것이 아니다. 경제성장은 상대평가가 아니라 절대평가다. 역성장에서 순위는 의미가 없다.

 문재인 정부 취임 이후부터 경제성장률은 계속 하락하고 있었다. 문재인 정부는 임기 초반에 소득주도 성장을 내세웠고, 공공기관의 단기 일자리로 취업률과 실업률 지표를 겨우 유지하고 있었다.
 하지만 성장은 없었다. 통계주도 성장이라고 비아냥거리는 평가까지 나왔다.
 이후에는 포용경제나 공정경제 등 아예 '성장'을 배제한 정책으로 바꿨고, 규제와 과세로 경제를 통제하려고만 했다. 그러나 막상 규제를 통해 노동자의 보호가 필요한 입법이나 대책은 부실하다.
 중대재해법의 경우 5인 미만 사업장은 적용에서 제외됐는데, 2018년 기준으로 국내 5인 미만 사업장은 123만 곳이 넘고 종사자 수는 333만 명에 달한다. 5인 미만 사업장의 근로자는 안전을 보호받을 자격이 없다는 것인지 따져 묻지 않을 수가 없다. 이는 반드시 추가되어야 할 내용이다.
 이처럼 문재인 정부와 민주당은, 정작 규제가 필요한 곳엔 엄격한 기준과 규제를 만들지 못하면서, 막상 경제성장을 막아서는 규제는 풀지도 못하고 있다.

문재인 대통령은 후보 시절부터 지금까지 4차 산업혁명을 계속 강조해왔다.

4차 산업혁명은 '초연결·초지능·초융합'으로 대변할 수 있는데, 이를 위해서는 규제와 통제가 아닌 자율과 혁신이 필요하다. 우리나라는 자칫하면 4차 산업혁명의 물결에서 뒤처질 수 있다. 정부에서 규제−샌드박스 등의 대안을 내놓기는 했지만, 여당의 경도된 입장 때문에 원활하게 풀지 못하고 있다.

이제는 말뿐만이 아닌 실질적인 행동이 있어야 한다.

정권재창출 위한 기본 옵션, 경제

코로나19가 심각함에도 우리나라는 공항과 여객 항만에 외국인 입국을 제한하지 않았다. 국제공항과 국제여객항만은 우리가 세계로 통하는 유일한 통로다.

우리나라는 3면이 바다고 유일한 육지인 북쪽은 국경선이 아닌 휴전선이다. 국제공항과 국제여객항에 외국인의 입국을 제한하는 것은 실질적으로 국경선 통제나 다름없는 일이다.

우리나라는 수출과 무역으로 먹고살 수밖에 없는데, 그러기 위해서는 누군가 해외로 나가 세일즈를 해야 하고, 해외 바이어가 우리나라에 맘껏 올 수 있도록 해야 한다. 우리나라가 국경선을 스스로 통제한다는 것은 우리의 살길을 스스로 차단하는 일이다.

국경선만 열어놓을 것이 아니다. 더 중요한 것은 기업과 민간이 국내에서 투자를 하고(이는 채용으로 이어진다) 연구를 할 수 있도록 규제를 풀어주는 일이다. 기업들이 세계에서 경쟁할 수 있는 토대를 만들어주어야 한다는 말이다. 그것이 수출로 먹고살 수밖에 없는 우리나라의 살 길이다.

김대중 대통령과 노무현 대통령이 문화산업을 개방할 당시, 언론과 문화계에서는 '우리 문화계를 죽이는 일'이라며 반발했지만 결과는 그 반대였다. 지금 우리 문화는 세계를 흔들고 있다. 세계가 한류 콘텐츠에 매료됐다. 보호와 규제가 아닌, 과감한 개방과 혁신이 있었기 때문에 오늘의 한류가 가능했다. IT강국이라는 명예도 김대중 대통령의 전폭적인 투자와 규제 혁신이 있었기에 가능했다.

그러나 이후 모든 대통령들은 세계에서 명성을 떨치고 온 문화인들과 청와대에서 밥이나 함께 먹고 사진이나 찍는 일만 했다. 이제부터라도 IT와 문화산업 이후로도 대한민국이 먹고살 수 있는 경제 콘텐츠를 만들어야 한다.

그것은 규제로 이룰 수 없다. 오히려 규제 완화를 통해 민간이 투자와 혁신을 이어가고 성장할 수 있도록 해주어야 한다. 그래야 우리 기술과 기업이 세계로 뻗어나갈 수 있을 것이다.

복지 차원에서 저소득층에 국가재원을 집중하는 일은 중요하다. 그와 함께 경제성장을 통해 소득평균을 해결해야 한다. 경제성장률을 높이기 위해 국가의 재원을 투여하는 것도 하나의 방법이지만, 이는 한계가 있으며 국가 재원이 언제까지 버텨주는 것도 아니다. 결국 민간과 기업의 활발한 활동으로 성장해야 한다.

우리나라는 자원도 부족하고, 육상으로는 외국과 이어져 있지 않으며, 국토의 70% 이상이 산지인 산악국가라 농사지을 땅도 마땅치 않아 식량자급률은 50%에도 미치지 않는다. 내수시장도 인구 5천만 명에 불과하다. 우리나라가 먹고살 수 있는 방법은 결국 세계적인 기술과 콘텐츠를 만들고 선도하는 것뿐이다. 그러기 위해 창의를 발산시키도록 하고 투자를 적극 유치해야 한다.

정부가 해야 할 일이 있다면 공정한 경쟁이 되도록 균형을 잡아주는 것이다. 반칙과 특권을 바로잡아 공정한 경쟁이 되도록 하고, 나머지는 자율에 의해 돌아가도록 규제를 과감하게 풀어줘야 한다.

경제 부분에 대한 얘기를 한다면 부동산 문제를 빼놓을 수 없다. 부동산도 엄연히 시장경제다. 공급과 수요, 판매자와 구매자와 중개자, 정부의 중재 역할 등이 복합적으로 작용되어 돌아가는 시장이다.

그런데 문재인 정부는 부동산 문제를 시장경제로 보고 있지 않은 듯하다. 그래서 모든 부동산 대책마다 꼬이는 것이다. 문재인 정부의 부동산 대책은 낙제점을 넘어 0점 자리에 가깝다.

서울시 안에서 양질의 주택을 대량으로 공급해야 한다. 공급 없이 부동산 문제는 절대 풀지 못한다. 강남 수요는 물론, 서울에서 거주하고자 하는 수요를 채워줘야 해결될 것이다. 만약 2021년 서울시장 재·보궐 선거와 2022년 대선에서 민주당이 패배한다면 그 원인의 절반 이상은 부동산 문제 때문일 것이다.

유권자 중에 다수가 되고 있는 X세대, Y세대, Z세대는 실용주의의 모습을 보이고 있다. 그래서 경제에 민감하다. 경제적 상황에 따라 실용적인 선택을 할 수 있다는 것이다.

경제를 망쳐놓고 재집권에 성공한 정권은 없다.

사람의 문제가 아니라 제도의 문제

제도개혁 없이, 정치·경제 발전 없다

2016년 촛불은 우리 사회의 근본적인 변화를 요구했다. 기회의 사다리가 무너지고 불공정이 만연한 우리 사회에 혁명적인 변화를 요구한 물결이었다.

당연히 정치도 혁신적인 변화가 필요했다. 정치개혁이 되었어야 했다. 정치개혁은 권력구조와 선거제도 개편이 핵심이다. 그러나 당시 민주당에서는 제도의 문제가 아니라 사람의 문제라며, 박근혜 정권을 끌어내리고 민주당이 집권하는 것에만 의의를 두었다. 민주당은 2016년 촛불의 의미를 평가절하 해버린 것이다.

'촛불이 1986년 민주화 항쟁보다 그 의미가 커서는 안 된다.'는 위기감이었는지, 아니면 '집권만 하면 그만'이라는 단견이었는지 몰라도, 역사적인 시민항쟁을 한낱 정권투쟁 정도로 격하시켜 버린 것이었다.

2016년 촛불과 같은 시민항쟁을 통해 정권을 바꾸고도 개헌으로 이어지지 않은 첫 사례를 남긴 것이다. '4.19 혁명'과 '1986년 항쟁' 당시처럼 국가시스템을 고쳤어야 했다. 개헌은 물론 선거제도까지 고쳐 정치개혁의 기틀을 만들었어야 했다.

이후 문재인 정부에서 개헌안을 냈지만 정부 주도였기에 적절하지 못했다. 무엇보다, 가장 중요한 권력구조와 선거제도 개편은 쏙 빠져 있었다. 개헌을 위해 노력했다는 생색만 내고 책임에서 빠진 것이다. 20대 국회에서 선거제도 개편을 하려는 시도가 있었으나, 보수정당의 강력한 반대와 민주당의 어정쩡한 입장으로 인해 누더기 선거법이 되고 말았다.

제도를 고치지 않았기 때문에 문재인 정부에서도 수많은 '사람의 문제'가 발생했다. 민주당 일각에서 제도의 문제가 아니라 사람의 문제라고 했지만, 문재인 정부에서도 보수정권과 다를 바 없는 사람의 문제가 계속해서 터져 나왔다.

오죽하면 진보 학자들과 논객들마저 '내로남불' 정권이라며 등을 돌릴까. 그럴 만도 한 것이, 민주당의 어떤 의원은 과거 야당 시절에 연동형 비례제 법안을 자신이 발의해 놓고도, 여당이 되자 연동형 비례제를 강력하게 반대하는 이율배반의 모습을 보이기도 했다.

'정치선진국=경제선진국', 선진정치는 선거제도에 달려

제도가 바뀌면 우리 정치가 바뀔 수 있다.

이것은 여러 지표로 확인된다. 진정한 합의민주주의는 다당제를 통해 이룰 수 있고, 연동형 비례제와 같은 합리적인 선거 시스템으로 정치를 안정시킬 수 있다. 그렇게 이룬 정치적 안정은 경제에도 영향을 준다. 대부분의 경제 선진국이 정치 선진국이고, 정치 선진국 중에 경제 선진국이 아닌 나라가 없다.

*표22) EIU(이코노미스트 인텔리전스 유닛) 발표. 2019년 국가별
    민주주의 지수 상위 10개 국가들의 정치 시스템과 선거제도 비교

순위	국가 명	분류	정당 시스템	선거제도
1	노르웨이	완전한 민주주의	다당제	연동형 비례대표제
2	아이슬란드	완전한 민주주의	다당제	연동형 비례대표제
3	스웨덴	완전한 민주주의	다당제	연동형 비례대표제
4	뉴질랜드	완전한 민주주의	다당제	연동형 비례대표제
5	핀란드	완전한 민주주의	다당제	연동형 비례대표제
6	아일랜드	완전한 민주주의	다당제	중대선거구 선호투표제
공동 7	덴마크	완전한 민주주의	다당제	연동형 비례대표제
	캐나다	완전한 민주주의	분류 어려움	상대다수 선거구제
9	오트레일리아	완전한 민주주의	양당제	소선거구 선호투표제
10	스위스	완전한 민주주의	다당제	연동형 비례대표제
23	대한민국	결함 있는 민주주의	양당제	불완전한 연동형 비례제

*인용자료 출처 : EIU사이트 참조. '정당시스템&선거제도'는 데이터정치경제연구원 자료

*표23) OECD 회원국 국가 청렴도 지수 순위와 정당 및 선거제도 비교
    (2019년 발표 기준)

청렴도 전체 순위	OECD 국가 중 순위	국가 명	점수	정당 시스템	선거제도
공동 1위	공동 1위	덴마크	87	다당제	연동형 비례대표제
		뉴질랜드	87	다당제	연동형 비례대표제
3	3	핀란드	86	다당제	연동형 비례대표제
공동 4위	공동 4위	스웨덴	85	다당제	연동형 비례대표제
		스위스	85	다당제	연동형 비례대표제
7	6	노르웨이	84	다당제	연동형 비례대표제
8	7	네델란드	82	다당제	연동형 비례대표제
공동 9위	공동 8위	독일	80	다당제	연동형 비례대표제
		룩셈부르크	80	다당제	연동형 비례대표제
11	10	아이슬란드	78	다당제	연동형 비례대표제
39	27	대한민국	59	양당제	불완전한 연동형 비례제

*인용자료 출처 : EIU사이트 참조. '정당시스템&선거제도'는 데이터정치경제연구원 자료

*표24) 2017년 기준 1인당 GDP 3만 달러 이상 국가 중
상위 10위 국가들의 정당시스템

1인당 GDP 순위	국가 명	정당 시스템
1	룩셈부르크	다당제
2	스위스	다당제
3	노르웨이	다당제
4	아이슬란드	다당제
5	아일랜드	다당제
6	미국	양당제
7	덴마크	다당제
8	오스트레일리아	다당제
9	싱가포르	다당제
10	스웨덴	다당제

*인용 자료 출처 : 데이터정치경제연구원
*2017년 기준 1인당 GDP 3만 달러 이상 27개 국가 중 26개 국가가 다당제
 (당시 한국도 다당제)

앞에 나열된 세 가지의 '표'들을 보면, '민주주의 지수'와 '국가 청
렴도 지수' 그리고 '경제 선진국(1인당 GDP 상위국가) 순위'에서 10위
안에 들어가는 국가들 대부분이 세 가지 지표에 모두 포함되고 있
다. 민주주의가 잘 되어 있는 청렴한 국가들은 선진경제까지 이루고
있는 것이다.

1인당 GDP 3만 달러 이상의 국가 중에서 상위 10위 안에 들어갔
지만, 민주주의 지수와 청렴도 지수의 순위에 들지 못한 국가는 미
국이 유일하다. 미국은 양당제와 소선거구제다. 미국 외에 국가들
은 다당제라는 정치 시스템과 연동형 비례대표제라는 선거제도가
구축되어 있다.

다당제와 연동형 비례대표제를 구축한 나라들이 민주주의 지수가

높고 청렴하며 경제까지 좋은 이유는 결코 우연이 아니다. 정치적 안정이 경제발전에 이바지하고 있음을 알려주는 셈이다.

　연동형 비례제는 국민의 의사대로 의회를 구성한다. 민심의 결과가 대의기관인 의회에 그대로 투영되는 것이다. 이렇게 되면 다당제는 필연이다. 만약에 누군가가 '다당제는 정치적 합의나 협의가 어렵다.'고 말한다면, 정치를 몰라도 너무나 모르는 소리다.
　양당제에 의한 양 진영의 극단적인 대결이야말로, 정치적 합의와 협의를 막아서는 방해물이다.
　현재의 우리나라가 아주 대표적인 사례다.

　우리나라는 20대 국회 당시 원내교섭단체로서 제3당이 존재했는데, 이때에 잠시나마 합의에 의한 정치가 가능했다.
　극렬한 반대 없이 최선의 절충안과 방법을 찾아낼 수밖에 없는 것이 다당제다. 다당제였기에 원활한 협의를 통한 진정한 합의민주주의가 가능했던 것이다. 다당제는 정치가 민심을 거스를 수 없도록 하는 장치다. 그런 다당제는 연동형 비례대표제를 통해 완성된다.
　우리나라와 같은 대통령제 국가에서는 연동형 비례제가 어울리지 않는다고 하는 사람들이 간혹 있다. 이런 주장에 대해 구차하게 반박할 것도 없다. 대통령제라서 문제가 되는 게 아니라, 양당 간의 기득권 유지가 목적이기에 그런 말을 하는 것뿐이다.

　2016년 촛불에 이은 대통령 탄핵은 다당제였기에 가능했다. 양당제와 달리 민심의 변화에 민감하게 반응하고 움직이는 것이 다당제의 묘미다. 대의민주주의 기관인 국회가, 양극단의 정치논리와 이념에 의해서가 아니라 민심의 뜻에 따라 움직이게 되는 것이다.

다당제가 대통령제와 얼마든지 공존할 수 있음을 보여준 대표적인 사례다. 그러한 다당제는 연동형 비례대표제로 완성된다.

다시 말해, 대통령제라는 권력 시스템과 연동형 비례대표제라는 제도가 어울리지 않는다는 말은, 근본도 논리도 없는 막무가내 주장일 뿐이다. 그것을 정치 논리로 내세운 사람은 민주주의에 대한 논리나 이해가 떨어져도 한참 떨어지는 사람이라고 할 수 있다.

사라져야 할 시스템, 제왕적 대통령제

장차 우리나라의 제왕적 대통령제는 뜯어고쳐야 한다. 의회제가 선진정치를 구가할 수 있는 가장 바람직한 제도지만, 대통령제를 유지한다고 하더라도 이원집정부제 등으로 대통령의 권한을 분산해야 한다. 그리고 대선에서 결선투표제를 도입해야 한다.

독일의 헌법학자인 뢰벤-슈타인은 "대통령제는 미국 국경을 넘는 순간, 민주주의에 대한 죽음의 키스로 변한다."고 했다. 이 말은 현재까지 사실로 증명됐다.

현재 대통령제를 채택하고 있는 국가는 미국을 포함해 대부분의 중남미 국가들과 아프리카 대륙의 절반 정도 국가들, 그리고 몇몇 동남아 국가들과 한국, 이란, 러시아 등이다. 그런데 이들 국가 중에서 우리가 경제적으로나 정치적으로 본받아야 할 나라는 단 한 곳도 없다. 프랑스, 오스트리아는 대통령 직선제이며 권한도 적지 않지만, 실질적으로 이원집정부제 국가다.

OECD 회원국에서 1인당 GDP 3만 달러가 넘는 나라 중, 대통령제 국가는 미국과 한국이 유이하다. 그 외에 경제선진국 대부분이 의회제나 이원집정부제고, 선거 시스템은 연동형비례제다.

우리 정치도 선진정치를 위해 온전한 연동형 비례대표제를 도입하고, 권력 시스템을 고쳐야 한다. 진보진영 일각에서 사람의 문제라고 했지만, 그런 사람의 문제가 문재인 정부에서도 계속 터져 나오고 있다. 선진정치를 하지 못하는 것은 분명히 제도의 문제 때문이다.

20세기 들어 민주주의 선출 방식으로 지도자를 뽑는 나라 중에서 장기독재로 집권하는 국가를 보면, 예외 없이 대통령제 국가였다. 이는 한때 우리나라도 마찬가지였다.

박정희, 전두환 군사독재 정부는 강력한 대통령제였기에 가능했다. 현재도 임기만 5년으로 정해놨을 뿐이지 다를 것이 없다. 괜히 제왕적 대통령제라고 하는 것이 아니다.

그런데 일부 정치인 또는 정치와 민주주의를 논한다고 하는 사람들 중에, 제왕적 대통령제를 유지하자고 하는 사람들이 적지 않다. 그런 사람들의 얘기를 듣자면, 과연 민주주의 시스템에 대해 이해가 되어 있는 것인지 의문스러울 정도다.

우리나라의 역대 정권에서 대통령 주변의 권력형 비리에 연관되지 않은 경우가 한 번도 없다. 심지어 김대중, 노무현 정부도 그랬다. 문재인 정부도 마찬가지일 것이다. 절대권력은 절대 부패하게 돼 있다. 지금과 같은 제왕적 대통령제는 절대권력을 상징한다. 반드시 고쳐야 할 국가 시스템이다.

법가(法家) 사상가인 한비자(韓非子)는 국가의 제도적(시스템적) 완성도를 주장하면서, "그래야 폭군이나 멍청한 군주가 나와도 국가와 사회가 온전히 유지되고, 현명한 군주가 나오면 나라가 더 발전할 수 있다."고 했다.

사람 이전에 제도(시스템)가 먼저 완비돼야 한다는 말이다.

한비자의 철학이 옳았다는 것을 현대의 서구유럽 국가들이 확인시켜 주었다.

많은 서구유럽 국가들은 제도적 완성도가 높은 의회제(또는 이원집정부제)와 연동형비례제를 통해 청렴하고 합리적인 민주주의를 구현했고, 이로 인해 선진정치와 선진경제까지 실현하고 있다.

제3당 수요는 항상 존재

필자는 앞서의 '민주당 장기집권 쌉파서블?' 편을 통해 '유권자들의 민주당 성향과 민주당 우위의 정치지형은 중도계층의 선택에 의해 형성되었음'을 얘기했다.

어떤 선거든 선거 결과는 중도계층에 의해 갈린다. 대선(大選)이 아닌 여러 정당이 난립하는 총선(總選)의 경우에도 마찬가지다. 다만 총선은 대선처럼 선출직 공무원 1명만을 뽑는 것이 아니므로 중도계층의 선택이 제3세력을 향하기도 한다.

*표25) 제3지대(3세력)에 대한 수요

	민주당 계열	국민의힘 계열	제3세력	제3세력 구분
17대 총선	38.3%	35.8%	20.1%	민주당+민노당(중도/진보)
18대 총선	25.2%	37.5%	20.0%	선진당+친박연대(보수)
19대 총선	36.5%	42.8%	11.4%	통진+진보신당(진보)
20대 총선	25.5%	33.5%	26.7%	국민의당(중도)
19대 대선	41.1%	24.0%	21.5%	국민의당(중도)
21대 총선	38.77%	33.84%	9.50%	국민의당+민생당(중도)

*인용 자료 : 중앙선거관리위원회
*총선은 비례투표 기준
*21대 총선에서 민주당 계열은 더불어시민당+열린민주당

　우리나라의 역대 선거를 보면 제3세력을 향한 국민들의 선택이 적지 않았다. 특히 20대 총선은 제3세력을 향한 국민들의 선택이 극대화된 경우였다.

　그런데 21대 총선에서 중도계층 대부분은 여당을 선택했다. 제3당의 지리멸렬이 가져온 결과이기도 하지만, 다당제를 막아내려는 기존 양당의 의도에 따라 만들어진 결과였다.

　양당은 21대 총선에서 양당제 유지라는 목적을 이루었지만, 국민은 여전히 다당제를 바라고 있다. 양당은 위성정당이라는 편법을 펼쳐가며 연동형 비례제를 무색하게 만들었지만, 국민의 표심까지 양당 위주로 쏠리도록 만들지는 못했다.

　21대 총선에서 양당(위성정당 및 준여당)이 받은 득표율은 합해서 72.61%이다. 여전히 27%가 넘는 국민들은 양당이 아닌 다른 정당에 표를 주었다.

　21대 총선에서 제3당의 지리멸렬로 인해, 많은 중도계층이 민주당

을 선택하게 되었다. 제3당이 건재했다고 하더라도 21대 국회에서 민주당(위성정당 포함)이 과반 이상을 차지하는 데는 무리가 없었을 것이다. 누차 밝힌 바대로, 우리 유권자 지형이 민주당 성향으로 바뀌었기 때문이다. 그러면서 일부 중도계층과 갈 곳 없는 일부 보수층이 제3세력을 선택했을 것이다.

이미 그 전조 현상이 20대 총선에서 나타났다. 민주당은 20대 국회에서 원내 1당이었고 여당이었다. 21대 총선 당시, 문재인 대통령의 국정평가도 나쁘지 않았다. 그랬기 때문에, 제3세력의 건재 여부와 상관없이 국민들은 민주당에게 의회 주도권을 주었을 것이다. 그러면서 제3세력이 건재했다면 변하지 않은 보수 정당을 대신하여, 그 대안으로서 제3세력이 선택받았을 가능성이 크다.

제3당의 역할과 존재를 언급하다 보면, 20대 국회 당시 원내교섭단체를 이루었던 국민의당에 대해 두고두고 아쉬울 수밖에 없다.

국민의당은 호남 세력과 전국에 분포한 중도세력이 연합하여 성공을 거둔 정당이다. 그리고 양당 정치에 혐오를 느낀 다수의 유권자들이 만들어준 정당이다. 국민은 국민의당을 통해 역사적인 다당제 시대를 열어주었다. 국민의당은 양당이 극한 대결을 하며 막아놓았던 정국을 매번 풀어내며, 일하는 국회의 전형을 보여주었다. 협의에 의한 합의 민주주의의 선례를 남겼던 정당이었다.

그런데 국민의당의 창업주였던 안철수 대표는 정치철학의 부재와 부족한 정치력 등으로 인해 국민이 만들어준 다당제와 제3당을 날려버렸다. 그러면서 안 대표는 "38석에 달하는 당을 창당해서 만들어 봤고, 그런 경험은 3김 이후로 본인밖에 없으므로 정치력 증명을 할 필요가 없다."라는 말을 했다.

어처구니없다는 말은 이럴 때 쓰는 것 같다. 국민이 만들어준 성과를 온전히 자신의 능력이었다고 자화자찬하는 것은 오만한 자세다. 3김과 본인을 동일선상에서 비교하는 것은 안 대표가 할 말이 아니다. 3김을 모욕하는 것이기도 하다.

어쨌거나 3김은 그런 성과 후에 잘 유지를 하면서 대권 승리를 하거나 승리에 이바지하며, 대통령이 됐거나 정권에 핵심 역할을 했던 큰 정치인들이다. 무엇보다 3김은 국민이 무서운 줄 너무나 잘 아는 정치인들이었다. 또한 안 대표처럼 본인이 만든 당을 버리고 도망나간 후 몰락한 적은 한 번도 없다.

제3당의 성공은 국민이 만들어준 바람이며 정치인 안철수에 대한 기대이기도 했다. 안철수 대표는 그러한 국민의 바람과 기대를 헌신짝 버리듯 내던졌다. 그리고 이제 와서 드러내놓고 보수 본색으로 보수정당과 밀당을 하고 있다.

안 대표는 먼저 국민이 만들어준 정당을 버린 것에 대한 통렬한 반성과 실패한 정치력에 대한 고찰부터 해야 한다. 그것이 정치인으로서 책임 있는 자세다.

서울시장 재·보궐 선거가 다가오고 있다. 안철수 대표는 2018년 당시 3등을 기록했던 서울시장 선거에 다시 도전한 상태다.

최종 후보가 될 가능성이 조금이라도 있는 관계로, 더 이상의 언급은 생략하겠다.

보수는 통합이 아니라 나뉘어서 (혁신)경쟁을 해야 할 때다

보수정당은 민심은 안중에도 없고, 변화는 하지 않으면서 정부여당에 반대만 하다가 10년 정도 지나면 정권을 잡을 수 있을 것이라고 착각을 하는 듯하다. 과연 그럴까? 또 다시 당명(黨名)을 바꾸고 거듭 신당을 만들어도 무용지물이 될 가능성이 크다.

2020년 한 해 동안 국민의힘이 지나온 당명만 4개다. 자유한국당, 미래통합당, 미래한국당, 국민의힘 등 당명을 수시로 바꿨지만, 낮은 지지율은 바꾸지 못했다. 문재인 대통령의 국정평가가 나빠지기 시작하면서 지지율이 겨우 상승했다. 자력에 의한 상승이 아니다.
과거와 다를 바 없는 지리멸렬한 보수의 모습 그대로인데 이름만 바꾼다고 국민들이 다시 봐주지는 않는다. 일단 '보수타령'부터 걷어차고 쇄신을 해야 한다.
그런 의미에서 2020년 12월에 국민의힘 지도부가 보여준 과거 보수정권에 대한 사과와 반성의 메시지는 매우 의미가 크다. 보수정당이 변화할 수 있음을 보여준 것이다. 당 내외에 반발이 있었지만 그러한 쇄신이 있었기에, 문재인 대통령의 국정평가와 여당의 지지율이 하락하면서 그나마도 반사효과를 볼 수 있었던 것이다.

지금 야당(국민의힘)은 합치는 것보다 나뉘어야 한다. 그래서 새로운 보수, 혁신을 해내는 보수의 모습을 보이기 위해 경쟁해야 한다. 그렇게 혁신경쟁을 한 다음, 혁신에 성공한 정당을 중심으로 보수진영을 재편해야 한다.
철지난 매카시즘, 일부 정치인의 우상화 등으로 연명하는 군소 보수정당과 차별화해야 한다. 혁신을 이룬 새로운 보수정당으로 변신하여, 경쟁력을 갖춘 보수 세력의 적자로 살아남는 일부터가 먼저다. 그러면 구태 방식의 정치공세로 연명하는 정당들은 자연스럽게 정리될 것이다.

하지만 그것이 쉬워 보이지 않는다. 국민의힘 내부에 잔존해 있는 기성 정치인과 기득권 세력이 사사건건 반대하기 때문이다. 보수정당은 경쟁 없이 기득권에만 안주하다 뒤처져 왔다. 과거 정부에 대한 사과와 반성을 했던 비상대책위원장에게 반대하고 비판을 일삼는 세력들이 아직 건재하다.

당내 중진급 의원들이나 대권주자들이 과거와 단절하고자 하는 비대위원장을 크게 동조해주어야 하지만, 그러기는커녕 눈치만 보고 있다. 변하고 있다는 모습을 확실하게 보여주지 못하고 있다. 그러느니 쇄신세력과 수구세력이 서로 나뉘어서 리셋(Reset)을 하는 것이 나을지도 모를 일이다.

지금 보수는 통합(통합신당)을 시도할 게 아니라, 뜻이 맞는 세력끼리 나뉜 후 서로 경쟁해서 자강(自彊)하는 것이 답이다. 21대 총선 당시, 합치고 합쳐서 얻은 의석이 고작 103개다. 나뉘어서 보수개혁 경쟁을 했어도 그 이상은 받았을 것이다.

나뉜 후 개혁 경쟁을 해서 살아남은 보수 세력이 종주권을 갖고 다시 하나로 연대하는 것이 방법일 수 있다. 그래야 중도계층으로부터 새로운 선택을 받을 수 있을 것이다.

문재인 정부의 인기가 하락하고 여당의 지지율이 떨어지는 바람에 국민의힘 정당 지지율이 반사효과를 받고 있기는 하지만, 확실한 우위라고 볼 수 없다. 더구나 서울시장 후보와 차기 대선주자 선호도에서 국민의힘 소속 정치인은 전혀 존재감을 나타내지 못하고 있다. 국민들은 여전히 국민의힘을 믿지 못하고 있다.

새로운 인재 또는 참신한 정치인이 필요하다. 그런 새로운 얼굴이 서울시장이나 대권주자로 나설려면 보수정당 내부가 변하지 않고는 불가능한 일이다. 새로운 얼굴 또는 참신한 인재가 보수정당의 서울시장 후보나 대권주자가 되었다는 것은, 보수정당이 내부의 쇄신을 이뤘다는 것을 의미하는 셈이다.

선거에서(서울시장 재·보궐 선거) 전략적으로 단일화를 고려할 수도 있는데, 이는 장기적으로 득보다 실이 될 가능성이 높다. 그렇게 선거만을 위한 연대는 보수혁신 경쟁으로 얻어낸 승리가 아니다. 정치공학적인 합산에 의한 일시적인 제휴일 뿐이다. 2016년 이전까지 야권단일화(후보단일화) 타령만 하다가 거국적인 승리를 번번이 놓쳤던, 야당 시절의 민주당을 떠올려보면 쉽게 이해가 될 것이다.

2011년 서울시장 재·보궐 선거 당시에 민주당은 단일화에 져서 시민후보를 대신 내세웠다. 그래서 겨우 보수정당을 이겼지만, 바로 그 다음해에 이어진 대선에서 또 다시 제3의 후보와 단일화 경쟁을 하다가 시간을 허비했고, 결국 이겨야 할 대선을 지고 말았다.

2021년 4월에 진행될 서울시장 재·보궐 선거는 딱 10년 전의 당시 야당이었던 민주당과 현재 국민의힘의 처지가 '데자뷰'처럼 연상된다. 서울시장 선거를 제3의 후보에게 내주어서 겨우 승리하는 것은, 크게 본다면 결과적으로 득이 아닌 실이 될 수가 있다.

2011년 당시처럼, 서울시장 재·보궐 선거가 끝나고 약 1년 후 정도면 대선(大選)이 있다. 그리고 야권의 대권주자 선호도 1위는 제1

야당 소속의 정치인이 아니라 외부에 있는 인사다.

보수 단독과반 어려운 시대, 보수 세력이 살아남는 길은 연동형 비례대표제도

국민의힘은 연동형 비례제를 격렬히 반대했고, 그런 반대의 결과로 연동형 비례제는 어정쩡한 형태로 남았다. 그에 더해 국민의힘은 위성정당이라는 속칭 '꼼수정치'의 절정을 보여주었다. 보수 세력은 이분법적인 정치 행위를 통해 그들의 기득권을 유지해왔다. 진보진영 내의 운동권 세력과 다르지 않았다.

그러한 이분법적인 정치행위는 포스트-모던 시대에 맞지 않는 구태 정치다. 유권자들의 의지는 이미 다원성 사회에서 나타나는 형태로 나오고 있는데, 우리 정치만(특히 보수 세력) 이분법적인 세력 나누기와 이념 논쟁을 끈질기게 유지하고 있다. 그 안에 달콤한 기득권이 있기 때문이다.

지금은 민주당 성향 유권자가 다수로 바뀐 시대이므로 보수정당이 다시 집권하기는 쉽지 않다. 설사 민주당이 지금과 같은 절대적인 우위를 유지하지 못한다고 하더라도, 과거처럼 보수정당 단독의 의회과반은 생각하기 힘든 시대가 왔다. 이제는 보수단독의 집권이 어려워졌다는 얘기다.

보수정당(세력)이 집권할 수 있는 쉬운 방법(가능한 방법)은 서구유럽처럼 다당제를 통한 연정이 정답일 수 있다. 그러므로 보수정당은 이제라도 연동형 비례대표제를 완성시켜 연정체재를 통한 보수집권을 준비해야 한다. 선거제 개편을 극구 반대했던 보수정당의 지난 행동을 반성하는 차원에서라도, 국민의힘은 이제라도 연동형 비례 대표제를 완성해야 할 것이다.

사회문제, 보수적 관점을 버려야 해결이 가능하다

출생률 저하와 인구감소. 보수적 사회가 낳은 현상

필자는 '민주당 장기집권 쌉파서블?' 편을 통해, 민주당 성향의 유권자가 다수로 바뀌면서 민주당 우위의 정치지형이 되었고, 이는 우리나라가 보수적인 사회에서 중도적인 사회로 변화하고 있음을 보여준 것이라고 강조했다. 보수적인 사회 또는 보수 우위의 사회는 실용적(중도적)인 40대 이하의 세대로부터 외면을 받은 것이다.

불공정이 만연해 있었고, 심지어 그런 불공정한 사회에서 혜택을 입은 당사자가 "너희 부모 탓을 해."라는 뻔뻔함까지 보이자, 이에 분노한 시민들이 촛불을 들고 일어났다.

민주당 성향 유권자들의 뿌리 깊었던 분노가 폭발한 것이다. 그래서 지금처럼 민주당 우위의 정치지형이 완성된다. 보수 우위의 사회가 아닌, 중도적이고 실용적인 사회로 변화를 바라는 민주당 성향 유권자들의 의지가 실현된 셈이다.

그러함에도 우리 사회는 보수적인 관점이 만연해 있다. 사회적인 인식까지 불과 몇 년 안에 바뀌기는 쉽지가 않은 것이다.

그런 보수적인 인식이 낳은 대표적인 현상이 바로 출산률 저하다.

2018년을 기점으로 가임여성 1명당 출산률이 '1' 미만으로 떨어졌다. 2020년에는 주민등록인구가 2만여 명이 줄어서, 사상 처음으로 인구가 감소했다. 그러자 언론이나 기성세대는 호들갑을 떨었다. 정부지원을 탓했고, 아이를 낳지 않은 젊은 세대를 나무랐다.

*그림3) 한국 합계 출산률

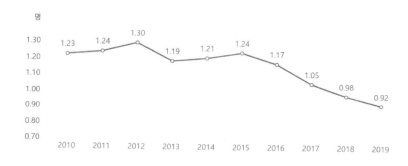

(가임여성 1명당) 0.918명

'19, KOSIS (통계청, 인구동향조사)

*포탈-사이트 네이버 검색 자료

　우리나라 유권자 분포는 중도적인 민주당 성향이 많아졌지만, 생활의 측면에서까지 보수적인 색채를 벗어났다고 할 수는 없다. 앞서 밝힌 바대로 586세대는 정치·이념에서 여전히 진보를 지향하지만 생활의 측면에서는 빠르게 보수화되었다. 생활적인 부분에서 실용과 보수를 나눈다면, X세대인 40대 이후 세대와 50대 이전의 세대로 나누어야 할 것이다. 그만큼 우리 사회는 보수적인 인식과 관점이 여전히 강하다.

　특히 586세대와 그 이전 세대는 가부장제의 관점이 여전히 강하게 남아 있다. 자신들은 아니라고 하지만, 은연중에 나오는 말들은 그런 가부장제의 요소에서 벗어나지 못한 것들이 매우 많다.

　일례를 들면, 기성세대들은 '현모양처'라는 말을 칭찬이랍시고 아무렇지 않게 언급한다. '현모양처'라는 말은 가부장제 사회인 조선

시대 당시에 여성을 억압하기 위해 만들어놓은 여성차별의 언어다. 기성세대는 가부장제 속의 여성차별적인 단어조차 인식하지 못한 채, 그것을 칭찬이랍시고 사용하고 있다.

인류 사회는 어느 지역에서든 가부장제의 요소가 강했다. 지금이야 서구유럽 등은 이러한 문화에서 벗어났지만, 유교적인 철학의 뿌리가 깊은 동양권에서는 여전하다. 유교철학 하면 가부장제이고, 가부장제는 생활면에서 보수 성향을 강화한다. 그런 가부장제의(보수적인) 관점이 빠르게 변하는 현대사회와 충돌하면서 세대 간 갈등을 낳고 있다. 대표적인 것이 저출산 현상이다.

세계 최고의 통계 석학으로 불리는 한스 로슬링 카롤린스카 의학원 교수는 국내 어느 언론과의 인터뷰에서 "한국의 저출산 상황은 돈이 아니라 인식의 문제임"을 지적했다. 그는 "스웨덴도 인구정책이 아니라 양성 평등과 관련된 변화에서 출산율이 반전됐다."라며 "가부장제의 문제"라고 진단했다.

스웨덴도 오랜 가부장제의 요소가 저출산을 불러왔고, 이 점이 해소되자 인구정책이 안정적으로 됐음을 역설했다. 그는 "최종목표는 출산율을 높이는 것이 아니다. 삶의 질을 개선해 더 나은 사회에서 다 같이 살자는 것을 궁극적인 목적으로 해야 한다."고 강조했다.

양성평등 하면 '거품'을 물고 반대하거나 회피하는 사람들이 있다. 대부분 50대 이후의 연령이지만, 일부 젊은 세대의 남성들도 있다. 그러나 50대 이후 남성과 젊은 남성이 받아들이는 양성평등에 대한 반감의 정도와 기준은 다르다.

젊은 남성은 이미 양성평등 사회에 속한 상태에서 일부 극성 페미

니즘에 대한 반감을 보이는 반면, 속칭 '꼰대'들의 반감은 가부장제적인 인식을 버리지 않았기 때문이다. 새로운 사회에 맞게 변화하지 않고, 보수의 관점과 인식을 고집하는 것이다.

가부장적인 보수 관점과 인식을 고쳐야 저출산 해결

2018년 EBS(교육방송)의 '지식채널e'에서 저출산률 문제에 대해 방영을 했다. 방송은, 경제가 성장하고 선진사회를 구축하게 된 모든 나라가 저출산 그래프에 빠졌음을 알리면서, 저출산 현상을 극복한 나라와 그러지 못한 나라들의 특징을 알려줬다.

그 특징으로 저출산 그래프 계곡을 빗대며 설명했는데, 그 이론은 바로 '이행의 계곡 이론(The valley of transition. 이전과는 다른 상태로 나아가는 이행의 과정을 설명하기 위한 사회학적 개념)'이었다.

방송 내용에 따르면, 저출산 그래프 계곡에서 탈출한 대표적인 나라는 프랑스, 네덜란드, 핀란드, 스웨덴 등이었다. 그리고 아직도 계곡에 갇힌 나라들은 한국, 일본, 스페인, 이탈리아 등이었다. 내용의 핵심은, 계곡에서 탈출하지 못한 나라들의 공통점이 바로 '남성 중심의 가부장적 사회구조'라는 얘기다.

방송은 가부장적 사회구조를 해결하지 않고는 아무리 재원을 쏟아부어도 효과가 없었음을 알렸으며, 한국 못지않게 가부장적인 사회였던 스웨덴이 성 평등주의 확대로 출산률 반등에 성공했음을 알기 쉽게 설명해주었다.

우리사회의 현실을 돌아보면 아득하기만 한 일이다. 우리나라는 양성평등에 대해서는 말할 것도 없고 유리천장 구조가 여전하다. 보수적인 사회구조가 고쳐지지 않고 있는 것이다.

*그림4) ebs 지식채널e 저출생 관련 방송 내용 캡쳐

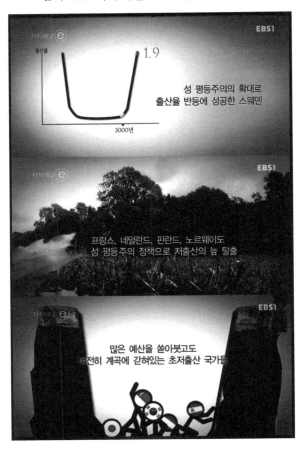

*자료 출처 : ebs 방송 내용

*그림5) 이코노미스트 사이트 '유리천장 지수' 화면 캡처

Country	GLOBAL INDEX		ECONOMIC PARTICIPATION AND OPPORTUNITY		EDUCATIONAL ATTAINMENT		HEALTH AND SURVIVAL		POLITICAL EMPOWERMENT	
	Rank	Score (0–1)	Rank	Score (0–1)	Rank	Score (0–1)	Rank	Score (0–1)	Rank	Score (0–1)
Iceland	1	0.858	16	0.793	39	0.999	121	0.968	1	0.674
Norway	2	0.835	11	0.806	41	0.999	95	0.972	3	0.563
Sweden	3	0.822	9	0.808	52	0.998	115	0.969	7	0.512
Finland	4	0.821	17	0.788	1	1.000	60	0.977	6	0.519
Nicaragua	5	0.809	69	0.679	36	1.000	1	0.980	2	0.576
Rwanda	6	0.804	30	0.743	109	0.961	90	0.973	4	0.539
New Zealand	7	0.801	23	0.761	1	1.000	107	0.970	9	0.472
Philippines	8	0.799	14	0.801	1	1.000	42	0.979	13	0.416
Ireland	9	0.796	43	0.725	57	0.996	111	0.970	8	0.493
Namibia	10	0.789	12	0.804	42	0.999	1	0.980	20	0.375
Slovenia	11	0.784	15	0.795	29	1.000	1	0.980	22	0.361
France	12	0.779	63	0.685	1	1.000	78	0.974	10	0.458
Denmark	13	0.778	38	0.734	1	1.000	100	0.971	15	0.406
Germany	14	0.776	36	0.734	97	0.976	85	0.973	12	0.418
United Kingdom	15	0.774	52	0.705	38	0.999	110	0.970	11	0.421
Canada	16	0.771	27	0.748	1	1.000	104	0.971	21	0.365
Latvia	17	0.758	10	0.807	1	1.000	1	0.980	42	0.246
Bulgaria	18	0.756	50	0.708	87	0.989	42	0.979	25	0.346
South Africa	19	0.755	91	0.645	72	0.992	1	0.980	17	0.404
Switzerland	20	0.755	34	0.739	80	0.991	108	0.970	29	0.320
Barbados	21	0.753	2	0.871	1	1.000	72	0.976	77	0.166
Costa Rica	22	0.749	105	0.614	1	1.000	63	0.977	16	0.406
Cuba	23	0.749	97	0.627	40	0.999	77	0.975	18	0.396
Lithuania	24	0.749	21	0.765	53	0.997	1	0.980	41	0.254
Bolivia	25	0.748	95	0.630	96	0.976	51	0.979	14	0.408
Lao PDR	26	0.748	1	0.915	105	0.968	98	0.971	89	0.137
Netherlands	27	0.747	56	0.698	1	1.000	120	0.968	28	0.323
Belarus	28	0.747	6	0.838	49	0.998	52	0.979	74	0.173
Spain	29	0.746	80	0.660	47	0.998	93	0.972	24	0.354
Bahamas	30	0.741	3	0.863	1	1.000	1	0.980	100	0.122
Burundi	31	0.741	5	0.839	130	0.890	55	0.978	40	0.255
Belgium	32	0.738	49	0.714	34	1.000	85	0.973	39	0.264
Estonia	33	0.734	42	0.729	1	1.000	42	0.979	51	0.228
Albania	34	0.734	54	0.701	91	0.987	134	0.963	34	0.284
Moldova	35	0.733	18	0.785	69	0.993	1	0.980	72	0.176

*한국은 OECD 회원국 중에 최하위인 29위
*한국은 유리천장지수가 조사된 2013년부터 2019년까지 7년 연속 최하위 기록
*유리천장지수는 〈간부직 내 여성 비율〉, 〈관리직 내 여성 비율〉, 〈성별 간 고등교육 비율〉, 〈성별 간 경제활동 참여율〉, 〈여성 경영대학원시험 응시자 수〉, 〈양육비용〉, 〈여성 육아휴직〉, 〈남성 육아휴직〉, 〈의회 내 여성 비율〉, 〈성별 간 임금 차이〉 등의 10가지 지표를 가중평균한 후 결과 산출. 지수가 낮을수록 직장 내 여성 차별이 심함을 의미

'꼰대' 습성을 버리고, 새로운 관점과 인식으로
우리 사회를 바꿔야 할 때

우리나라의 양성평등 현실이 매우 열악하다는 것은 각종 지표에서 아주 쉽게 찾아볼 수 있다. 세계를 사로잡은 한류 콘텐츠를 자랑하는 대한민국 사회가, 가부장제의 관점에 머물고 있다는 사실은 정말

부끄러운 일이 아닐 수 없다. 일명 '꼰대'로 불리는 일부 기성세대의 성찰이 필요하다.

*그림6) 세계경제포럼(WEF)에서 발표하는 국가별
Gender Gap Index(성 격차). 2018년 발표자료 기준

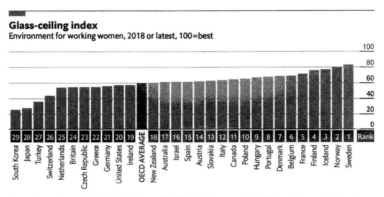

*자료 출처 : 세계경제포럼
*성 격차. 즉 성별간의 차이를 나타내는 지표. 여성 인권이 남성 인권과 얼마나 차이가
 없는지를 측정하는 일종의 상대평가. 한국은 전체 평가 149개 나라 중에 115위

저출산 문제를 바라보는 기성세대의 입장 변화를 보면, 얼마나 '꼰대'다운지 알 수 있다. 한때 기성세대는 저출산 문제로 심각하게 떠들었다. 그런 걱정에는, 결혼도 안 하고 애도 낳지 않는 젊은 세대에 대한 불편함과 원망이 있었을 것이다.

그런데 저출산 문제가 가부장제의 한국문화 및 양성평등 문제와 닿아 있고, 결정적으로 경제문제와 부동산 문제 그리고 불평등 문제에 원인이 있다는 점이 조금씩 밝혀지자, "애 안 낳고 사는 건 너네

문제다. 애 안 낳으면 너네 손해지, 낳든 말든 모르겠다.”는 식으로 슬그머니 말을 바꿨다.

기회의 불평등과 양성평등 문제, 그리고 가부장적인 사회인식은 기성세대의 책임과 맞닿아 있다. 이 점이 바로 저출산 문제에 있어서 가장 큰 원인인데, 이제 와서 애써 모른척하며 “너희가 그러든지 말든지”로 입장을 전환한 것이다. ‘꼰대’다운 태도가 어디 가지는 않겠지만, 무책임함도 여전히 변하지 않은 것이다.

“결혼 안 하니?”, “애 안 낳니?”, “애는 누가 키우니?” 등과 같은 말을 아무런 거리낌 없이 한다는 것은, 아직도 우리 사회가 조선시대의 유교 성리학이 지배하는 보수적인 사회라는 점을 나타내는 징후다. 다행히 이런 말들이 조금씩 사라지고 있으며, 그런 말을 하는 이들을 나무라는 사람들도 많아졌다.

이제 우리 사회도 딱 고만큼 진화한 것이다. 보수적 사회에서 중도적인 사회로 변화하고 있는 셈이다.

우리나라 방송에서 유명세를 떨쳤던 (일본인) 사유리 씨가 자발적 비혼모가 되어 화제였다. 많은 사람들이 사유리 씨의 결정에 박수를 쳐주었고 응원을 해주었다. 이제 우리 사회도 조금씩 변하고 있는 것이다. 다만, 사유리 씨의 선택을 두고 아이의 부모 선택권이라는 희한한 논리로 핀잔을 남긴 ‘왕꼰대’들도 더러 있었다.

사회가 변화하고 있음에도 끝까지 가부장제의 추억을 놓고 싶지 않았던 것일까?

그들은 한반도에서 벗어나지 않으려는 조선시대 수구주의자들과 다르지 않아 보인다. 농경사회에서 가부장제를 유지하며 지키기만 했던 민족(국가)은, 초원을 내지르며 세상을 바꿔놓은 기마세력에게 매번 정복(약탈)을 당했다. 변하지 않으면 먼저 변한 세력에게 당하는 것은 당연한 일이다.

우리 사회 역시 지금이라도 바꾸지 않으면 도태될 것이다. '꼰대'들의 고정된 가부장제적인 인식과 싸워서라도 바꿔야 할 때가 왔다.

저출산 문제에 대해, 『초예측』(저자-유발 하라리, 제럴드 다이아몬드 외. 출판사 지식하우스)에서 제럴드 다이아몬드는 "더 좋은 기회다. 인류의 자원을 더 적게 소모하는 것이 아닌가?"라고 말했다. 제럴드 다이아몬드는 문명의 붕괴라는 측면에서 저출산 문제를 바라봤다.

제럴드 다이아몬드의 관점이 '최선이다, 아니다.'를 떠나, 사회현상을 극복하기 위해서는 이처럼 인식의 전환이 있어야 한다.

그런데 제럴드 다이아몬드를 그토록 좋아하는 우리나라의 기성세대들은 출생률 문제를 생산력의 관점에서만 보고 있다. 농경사회 가부장체제의 관점에서 한 치도 벗어나지 못한 것이다. 2020년 현재, 50대 이상 기성세대들의 관점은 아직도 조선시대에 머물고 있다.

이제는 미래로 나아가야 한다.

보수적인 관점을 버릴 때가 됐다.

그래야 저출산 현상도 자연스럽게 해결된다.

인식을 바꾸지 않으면 도태될 것이다.

정치도 문제야!

20년째 똑같은 대북(통일)정책

2018년 문재인 대통령은 김정은 국무위원장과 남북정상회담을 가졌다. 그해에만 남북정상이 3번을 만났다. 그런데 2020년이 지나도록, 그 여러 차례의 만남이 무슨 결과로 이어졌는지 기억하는 사람은 거의 없다. 청와대 의전실과 행사 기획팀에서 준비한 감동스런 만남 외에 남아 있는 것이 없다.

남북정상회담 결과에 대해 현 정부의 노력과 정책을 나무라자는 것만은 아니다. 그만큼 남북문제, 통일문제, 동북아 안보문제는 꼬일 대로 꼬여 있다. 도저히 풀어내기 어려워 보인다.

이토록 풀기 어려운 것이 남북문제인데, 보수정권 당시에는 꼬여 있는 실타래를 더 꼬아놓았다. 보수정권은 그렇다고 해도 지금 정부의 전략도 김대중 정부 이후 새로운 것을 찾아보기 힘들다.

따지고 보면, 대북정책의 큰 획은 박정희 정부 때와 김대중 정부 시절의 햇볕정책 등 두 번뿐이었다. 현재는 20년 전 대북(통일) 정책에서 변한 것이 없다. '국민의 정부' 이후 새로운 정책이나 어젠다는 찾아보기 어렵다.

지금 문재인 정부는 통일과 대북정책에 대하여 구체적으로 무엇을 지향하는지 알 수가 없다. 김정은과 만난 후 그럴 듯한 사진만 찍어서 대통령 지지율을 올리는 것 말고 또 다른 뭐가 있는지 말이다.

영국의 파이낸셜 타임스와 BBC 기자 출신이었던 국제문제 전문 저널리스트 팀 마샬의 저서 『지리의 힘(출판사 사이)』을 보면, 한반도가 처한 상황을 너무나도 적나라하고 냉정하게 기술해 놓았다.

팀 마샬은 우리가 교훈처럼 외쳐왔던 평화통일에 대해서는 전혀 염두에 두지 않았다. 솔직히 그것이 현실이다. 만약 남북통일이 된다면 북한정권의 붕괴에 의한 시나리오가 유력한데, 그조차도 팀 마샬은 "남북 당사자는 물론 주변국이나 관계국가 그리고 전 세계 누구도 준비조차 되지 않은 상태고, 일단은 모두가 입 다물고 있는 것이 최선이며, 현재는 이도저도 할 수 없는 상황"이라고 표현했다.

서구유럽이 보는 한반도 상황에 대한 시각이라고 할지 모르겠지만, 이런 것은 제3자의 시각이 더 정확할 수 있다. 장기판에서 대결하는 당사자가 아닌, 옆에서 훈수 두듯이 쳐다보는 구경꾼이 전체 판을 더 잘 읽고 객관적인 해석을 잘하는 것처럼 말이다.

*그림7) 남·북한 관계에 대한 인식(2020 국민 통일의식 조사 내용 중 캡처)

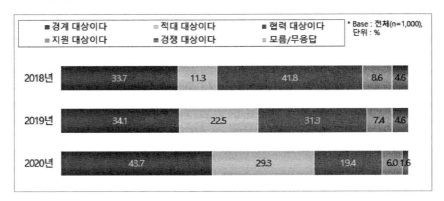

*자료 출처 : 2020 국민 통일의식 조사(KBS 공영미디어연구소)

*그림8) 통일의 필요성에 대한 인식(2020 국민 통일의식 조사 내용 중 캡처)

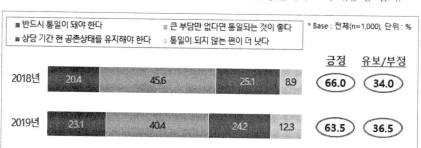

*자료 출처 : 2020 국민 통일의식 조사(KBS 공영미디어연구소)

　외부의 시각과 냉정한 해석은 그렇다 하더라도, 우리 국민이 생각하는 통일에 대한 의식이 어떨지도 중요하다. 우리 국민은 통일을 얼마나 원하고 있을지, 현재 시점에서 통일이 된다면 국민들이 얼마나 수용해줄 것인지 등도 중요하다.

우리의 소원이 통일이라고요?

　앞선 두 개의 그림(그림7. 그림8)은 KBS 공영미디어연구소가 조사한 '2020 국민 통일의식 조사'이다. 유효표본 1,000명(표본오차 : 95% 신뢰수준 ±3.1%p)이며, KBS국민패널을 활용한 인터넷 조사로, 2020년 7월 31일부터 8월 4일까지 5일간 조사한 결과다.

　통일에 대해 긍정적인 의견은 갈수록 낮아지고 있고, 유보와 부정의 의견은 높아지고 있다. 긍정도 완전한 긍정이 아니다. 2020년 통일에 대한 의견에서 '큰 부담만 없다면 통일되는 것이 좋다.'라는 답변이 44.2%다. 부담이 크다면 통일에 대한 생각을 달리 할 수 있다는 것이다. 그런데 평화통일이든 북의 붕괴로 인한 통일이든 한국에게 부담이 된다는 점은 누구나 아는 사실이다.

남북한 관계에 대한 인식도 나빠지고 있다. '경계 대상'과 '적대 대상'이라는 답변이 높아지고 있다. 두 응답을 합하면 74.0%이다. 당연한 결과다. 지금까지 보여준 북한의 언행을 고려하면 74%를 넘지 않은 것이 이상하다.

*그림9) 통일의 필요성(2019 통일의식조사 보고서 캡쳐)

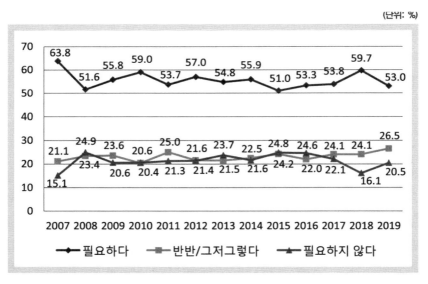

*자료 출처 : 서울대학교 통일평화연구원 2019 통일의식조사 내용 중
*2020 통일의식조사는 아직 비공개

2018년 평창동계올림픽에서 여자 아이스하키 남북 단일팀 논란 당시, 청년들은 남북한 관계를 위한 퍼포먼스보다는 우리 여자 아이스하키 선수들의 노력이 물거품 됐다는 사실에 분노를 표했다. 이제 북한을 바라보는 관점이 달라졌다는 것이다.

통일과 관련하여 국민인식을 조사한 것이 또 있다.

서울대학교 통일평화연구원에서 발표한 2020 통일의식조사는 아직 일반에 공개되지 않았고 학술회의를 통해서만 알려졌는데, 언론을 통해 알려진 내용만 추려보겠다.

2020년 10월 13일 서울대학교 통일평화연구원이 학술회의에서 발표한 내용으로, 지난 7월 22일부터 8월 17일 간 전국 성인 남녀 1,200명을 대상으로 하여 1:1 면접조사 형태로 이뤄졌다.

조사에 따르면 통일이 '별로' 또는 '전혀 필요하지 않다.'는 응답이 지난해 20.5%에서 올해 24.7%로 증가했으며, 20대와 30대 젊은 계층에서 각각 35.3%와 30.8%가 통일에 대해 부정적으로 인식했다(40대 19.3%, 50대 18.8%)고 한다.

반면, 통일이 '매우' 또는 '약간 필요하다.'는 응답은 52.8%로 지난해 53%와 비슷한 수준이지만, 남북관계 개선 기대감이 고조됐던 2018년 59.8%에 비하면 줄어들었다고 한다.

'북한정권신뢰도'는 33.7%로 지난해 51.6%에 비해 크게 낮아졌고, 북한을 '적대대상'으로 인식한다는 응답은 10.8%에서 14.8%로 늘었다고 한다.

남북문제와 통일, 새로운 전략과 관점으로 접근해야 할 때

통일과 관련해 우리 국민들이 보여준 인식은, 50대 이상이 생각하는 통일문제에 대한 관점과 완전히 달라지고 있다. 통일에 대해 신세대들은, 기성세대가 뻐꾸기처럼 되뇌기만 했던 절대적인 구호로 생각하지 않는다.

『대리사회』라는 책을 썼던 김민섭 작가는 2018년에 출간한 또 다른 저서 『훈의 시대(출판사 와이즈베리)』에서 의미 있는 얘기를 남겼다.

"'훈'이라는 개념은 '규정된 언어'다. 변화를 원하는 한 개인을 가로막는 것은 그를 공고하게 둘러싼 언어들, 어린 시절부터 외우고 노래해 온 익숙한 훈들, 예를 들면 '우리의 소원은 통일'… 이런 수사들은 개인을 시대에 영속시키는 동시에 끊임없이 지워내 왔다. 특히 사유의 범위를 그 합의의 테두리에 가두고 나아가지 못하게 한다는 점에서 문제적이다."

그러면서 그는 "우리 주변에는 아직도 많은 '훈'들이 남아 이 시대와 여전히 동시화하고 있다. 전근대적인 야만의 언어들이, 산업화 시대에 만들어진 낡은 언어들이 여전히 우리 곁에 존재한다는 것은 몹시 모욕적이다. 우리는 이것들을 이제 폐기하고 스스로의 '훈'을 만들 필요가 있다."라는 말을 하였다.

그렇다. 우리는 그동안 그저 한민족이었고, 하나의 나라였으니 다른 것은 따지지도 묻지도 말고 "우리의 소원은 통일"을 외쳐야 했다. 노래까지 외어서 부르게 했다.

이제는 남북문제와 통일을 그런 관점으로 바라봐서는 안 된다. 그렇게 해서는 무엇 하나 진전시키지 못한다. 남북정상이 만난 것은 20년 전에도 있었던 일이다. 행사기획을 잘 짜서 괜찮은 앵글로 만들어내는 만남 정도로는 아무 의미가 없다.

　남북문제도 이제는 실용적 선택을 해야 한다.
　주변국들 및 한반도와 관계된 강대국들을 고려한다면, 설사 북한이 붕괴된다고 해도 한국은 종주권 역할은커녕 주장조차 쉽게 하지 못하는 처지다. 한반도는 휴전 상황인데, 한국은 휴전협정의 당사자가 아니기 때문이다.
　이러한 관계부터 벗어나야 한다. 일단 휴전선을 국경선으로 바꿔야 한다. 이를 위해 외교적 노력과 함께, 북한과의 합의를 이뤄내야 한다. 휴전선을 국경선으로 바꿈으로써, 한국이 한반도 문제에서 주체가 될 수 있는 것이다.
　북한과는 국경선을 마주한 상대국으로서 자연스럽게 교류를 한다. 북한은 한국과 가장 근접한 나라이고 같은 민족이며, 같은 글과 언어를 사용하고 많은 동질적인 요소가 있다. 그렇기 때문에 북한의 상황이 급변할 때, 한국이 한반도 상황의 주체로서 당당하게 참여하는 것이다. 휴전상태가 아닌 근접한 관계국가로서 말이다.

　섣부르게 통일을 외치기보다 국경선 확정을 통해 평화체제부터 구축한다. 남북은 각자 다른 나라로서 서로를 존중하며 교류를 하는 방향으로 가자는 것이다. 그래서 남북 군사적 대치상황으로 인해, 주변국과 불편한 관계에 처하지 않도록 해야 한다.
　박근혜 정부 시절 사스 배치는 북한 문제와 관련하여 미국과 중국 사이에 끼인 한국의 허약한 처지를 그대로 드러낸 사례다. 박근혜 전 대통령은 2015년 8월 중국의 전승절에 참가했고, 2016년 초반에 사스의 한국 배치를 결정했다. 이 두 가지는 연관된 것으로 의심해볼 만하다.

박 전 대통령의 전승절 참가는 미국으로선 뜨악할 일이다. 그걸 한국정부나 박 전 대통령이 모를 리가 없다. 그런데 무리해서까지 참가한 것은 사스 도입이 이미 확정된 상황에서, 공표하기 전에 중국에게 기분 좋은 일을 하나 해준 것일 수 있다.

어느 언론의 보도에 따르면, 박근혜 정부가 2015년 중반께 이미 사드 배치 결정을 사실상 내렸던 것으로 알려졌다. 그래서 사드 배치 공표 전에 한국 대통령이 전승절 행사에 참가해주어 중국에게 '폼 나는' 퍼포먼스를 선사해준 것으로 생각해볼 수 있다. 아니면, 중국과 친밀함을 알리기 위한 보여주기 외교를 했다가 화가 난 미국을 달래주기 위해 사스를 도입한 것일 수도 있다.

어쨌든 둘 중에 하나로 의심이 된다.

국제관계도 정치의 연장이다. 대통령이 경제를 망쳐놓고도 민생경제에 관심이 많은 것처럼 보이기 위해, 재래시장에 가서 먹기 싫은 어묵을 먹는 것과 비슷하다.

아무리 그렇다고 하더라도, 사드 도입은 국가적 이익이나 국민의 이득이라는 외교의 근본적인 목적을 배제한 형편없는 외교정치였다. 박근혜 정권이 탄핵을 받은 원인이 그것 때문만은 아니지만, 탄핵받을 만한 무능(無能)을 여러 방면에서 보여줬다는 점은 사실이다.

정치권에서 청년세대는 여전히 액세서리

정치권은 선거 때만 되면 청년세대를 외친다. 물론 말로만이다.

선거 때가 되면 내세우는 인물교체라는 명분도, 당내 헤게모니를 장악한 세력이 자신들 위주의 인적 구성으로 이루기 위한 방책일 뿐이다. 자신들 사람으로의 교체지, 국민이 바라는 대로의 인물교체나 세대교체가 아니다. 이는 총선에서 주요 정당들의 당선인 연령대를 확인해보면 금방 나타난다.

*표26) 20대 총선 당선자들의 연령별 통계

	구분	전체 당선인	2030연령대	40대	40대 이하 합
지역구	당선인 수	253명	1명	42명	43명
	비율	100%	0.4%	16.6%	16.99%
비례대표	당선인 수	47명	2명	8명	10명
	비율	100%	10.6%	22.8%	33.5%
전체	당선인 수	300명	3명	50명	53명
	비율	100%	1.0%	16.7%	17.7%

*중앙선관위 선거통계시스템 자료 인용

*표27) 21대 총선 당선자들의 연령별 통계

	구분	전체 당선인	2030연령대	40대	40대 이하 합
지역구	당선인 수	253명	6명	28명	34명
	비율	100%	2.37%	11.07%	13.44%
비례대표	당선인 수	47명	7명	10명	17명
	비율	100%	14.89%	21.28%	36.17%
전체	당선인 수	300명	13명	38명	51명
	비율	100%	4.33%	12.67%	17.00%

*중앙선관위 선거통계시스템 자료 인용

청년세대의 등용에 대해 하도 말이 많다 보니, 20대 총선과 비교하면 21대 총선에서 2030 연령대의 당선인 수가 증가하기는 했다.

2030 연령대의 당선인 수가 20대 총선 당시 3명에서 21대 총선에서는 13명으로 증가했다.

그런데 40대 연령대의 당선인은 오히려 50명에서 38명으로 감소했다. 20대부터 40대 연령까지 합한 당선인 수는 20대 총선 때보다 2명이 감소했다. 2030에게 기회를 주는 듯했지만 결국 40대 정치인의 숫자를 빼서 끼워 넣은 셈이다.

젊은 세대에게 인색한 모습이 전혀 달라지지 않은 것이다. 젊은 세대는 그 정도의 캐파시티(capacity)에서 머물고 있으라는 기성 정치권의 의도나 다름없다. 여전히 젊은 세대 정치인은 액세서리(accessory) 취급을 받고 있다.

그나마도 해당 정당 내에서 양성됐거나 육성한 요원이 아니라, 대부분이 외부 영입 인사다. 청년 정치인은 철저하게 이미지로만 활용하고 있는 것이다.

그러한 영향으로 인하여, 최근 주요 정당들에서 2030 연령대의 정치인이 눈에 띄게 줄었다. 특히 20대 연령은 정말 보기 힘들다.

20대 총선 당시만 하더라도, 청년세대 정치인들은 '혹시나' 하는 기대감이 있었다. 그러나 기성 정치권이 청년세대 정치인들을 어떻게 대하는지 알게 되면서, 21대 총선에서는 청년 정치인들도 기대를 접은 듯해 보인다.

그러니 정치권에서 청년세대 정치인을 찾아볼 수가 없는 것이다. 이런 현상은 양당에서 주로 나타나고 있다. 양당의 기성세대 정치인들이 철옹성과 같은 헤게모니(hegemony)를 쥐고 있기 때문이다.

2020년 10월, 국민의힘 청년 정치인들이 포스터에서 부적절한 표현을 사용하여 물의를 일으킨 적이 있다. 정치인으로서 제대로 된 육성을 받거나 훈련되지 않은 채, 정당 내의 주요보직을 받고 활동하면서 발생된 일이다.

지금 정치권에서 정치를 꿈꾸는 젊은 세대는 국회의원 사무실이나 지자체 또는 정당의 당직자로 있으면서, 기성정치인이나 선배들의 눈칫밥을 먹으며 버티고 있다. 그리고 언제일지 모르는 기회를 기다리고 있다. 지금으로선 그것이 가장 현실적인 방법이기 때문이다.

이런 현상을 아주 나쁜 관점에서 표현해 본다면, 기성정치가 젊은 세대 정치인들을 손 안에 놓고 포로(捕虜) 취급을 하는 것이나 다름없다.

정당마다 비례대표 선거나 전략공천 등으로 공천을 받아 국회의원에 당선된 청년세대의 정치인들이 있다. 그들 대부분은 평소에 정치와 아무런 상관없는 일을 하다가, 선거가 다가오자 외부영입을 통해 공천을 받았다. 그러니 정당에서 열심히 활동하던 청년 정치인들과 애매한 관계가 될 수밖에 없다.

기존에 활동하던 청년세대 정치인들은 그들 나름대로 불만이 없을 수가 없고, 갑자기 정치를 하게 된 당선인(청년 국회의원)은 당내에서 청년 정치인들의 지지를 받기에 어정쩡할 수밖에 없다.

**정당 가입 나이 제한을 낮추고,
주요 정당은 청년정치 육성에 적극 투자해야**

21대 총선에서 정의당을 제외하면, 주요 양당의 청년세대 비례대표 당선인 수는 더욱 빈약해진다. 비례대표 선거에서 가장 많은 당선인을 배출한 미래한국당(현 국민의힘)은 전체 비례대표 당선인 19명 중에서 2030 연령대는 단 2명에 불과하고 40대는 3명이다. 생색내기 수준에도 미치지 못했다.

젊은 세대에게 표를 달라고 하거나, 젊은 세대를 위하는 척하기에도 스스로 민망한 수준일 것이다.

여당이라고 다르지 않았다. 전체 비례대표 당선인 17명 중에 2030은 2명이고 40대는 6명인데, 그나마 현재 더불어민주당 소속인 2030 연령대의 당선인은 단 1명에 불과하다.

민주당이나 국민의힘이나 '도긴—개긴'인 것이다. 최근 2030 연령대에서 민주당의 지지가 빠지고 있음을 뼈저리게 성찰해야 한다.

*표28) 21대 총선 주요정당에 비례대표 당선인 연령별 통계

	구분	전체 당선인	2030연령대	40대	40대 이하 합
더불어 시민당	당선인 수	17명	2명	6명	8명
	비율	100%	11.76%	35.29%	47.05%
미래 한국당	당선인 수	19명	2명	3명	5명
	비율	100%	10.52%	15.79%	26.31%
정의당	당선인 수	5명	2명	1명	3명
	비율	100%	40%	20%	60%
전체	당선인 수	41명	6명	10명	16명
	비율	100%	14.63%	24.39%	39.02%

*중앙선관위 선거통계시스템 자료 인용
*2030 당선인 중에 민주당으로 당적을 변경은 2명 중 1명, 40대 당선인은 6명 중 5명

정치를 꿈꾸는 젊은 세대 정치인들은 도전을 해봐야 기회조차 주

어지지 않으므로, 도전을 포기한다. 상황이 이렇다보니, 일부 정당에서 활약하는 청년 정치인들을 면밀하게 살펴보면 '정치적 금수저' 또는 '경제적 금수저'인 경우가 적지 않다. 부모의 정치적·경제적 영향을 통해 단번에 좋은 보직을 받는 것이다. 그렇게 해서 비례대표 국회의원을 한 사람도 있고, 청년위원장 등 정당 내에서 주요보직을 아무런 노력이나 경쟁 없이 차지한 사람도 있다.

기성 정치권에 젊은 정치인들이 워낙 없다 보니 그렇게라도 청년들을 받아들이는 것이다. 열심히 배우고 노력해서 성장해보려는 다수의 청년 정치인들이 받는 상대적 박탈감이 클 수밖에 없다. 정치권에서도 불공정하고 불평등한 사례가 버젓이 존재하고 있는 것이다. 정치권에서는 거의 다 알고 있는 사실이다. 다만, 아무도 말을 하지 않고 있을 뿐이다.

또 다른 경우도 있다. 젊은 나이에 꽤나 높은 임명직의 자리에 보직을 받는 경우가 있다. 예를 들면, 비상대책위원이나 혁신위원 등과 같은 경우다. 선출직이 아니고 비상 지도부나 임시 지도부에서 일명 '그림'을 맞추기 위해 젊은 연령의 인사를 그런 임명직에 앉히는 경우가 자주 있다. 비대위나 혁신위라면 대부분 그런 보직에 젊은 인사가 1명 이상 반드시 끼어 있다.

그런 보직을 경험했던 젊은 정치인은 마치 자신이 높은 인지도와 정치력을 갖고 있는 양, 상당한 착각을 하고 있는 경우가 많다. 그랬던 젊은 정치인들의 말로가 별로 시원치 않게 되는 이유는 바로 그 착각 때문인 셈이다. 그런 자리야말로 정치권에 대표적인 액세서리라는 점을 알아야 한다. 그런 보직을 맡은 경험이 있다면 더욱 겸손하고 말을 아끼며, 정진해야 한다. 그렇게 역임한 자리는 결코 훈장이 될 수 없다.

젊은 세대 정치인들의 말실수 그리고 높은 임명직을 받은 일부 청년 정치인의 착각은, 기존 정치 시스템이 낳은 부작용이다. 이제라도 시스템을 다시 만들고 정착시켜야 한다.

정치 선진국처럼 정당 가입 연령을 대폭 낮추어 청소년 시기부터 정당 가입과 활동을 자유롭게 할 수 있도록 만들어야 한다. 모든 정당은 청소년과 청년들이 정치를 바르게 익히고 배울 수 있도록 제도적 장치와 현실적 노력을 쏟아야 한다. 그러면 굳이 이미지를 위한 외부 영입을 하지 않아도 된다.

우리나라도 제대로 된 정치인 양성 사관학교가 있어야 한다. 이런 시스템은 정당 안에서 직접 이뤄져야하고, 정당이 키워낸 청년들을 국민 앞에 내세워 선진정치를 구가하도록 해야 한다.

정당가입 연령을 낮추는 것은 특히 보수정당의 반대가 심하다. 현재 젊은 층이 문재인 정부와 민주당에 대한 지지를 거두면서도 국민의힘을 절대로 지지하지 않는 이유를 알아야 한다. 청년세대를 그토록 무시하니 그들에게서 표와 지지를 받지 못하는 것은 당연한 결과다.

이 점은 여당인 민주당도 다르지 않다. 한국에서도 '마크롱' 같은 인사가 젊은 세대를 앞세워 새로운 세력으로 나선다면, 민주당이 우세한 현재의 지형이 다시 어떻게 바뀔지 알 수 없는 일이 될 것이다. 어쩌면 이미 시작되었을지도 모른다.

2020년 12월 현재 20대와 30대 초반의 연령대는 대통령 평가와 민주당 지지를 거두면서, 민주당 성향 유권자 연합에서 대거 이탈했다. 이들은 2021년 4월 재·보궐 선거와 2022년 대선에서 거대한 스윙보터 집단이 될 것으로 보인다.

　이제 이들 청년세대를 향한 정당 간의 경쟁은 다시 처음부터 시작되어야 할 것이다.

선동이나 일방적 홍보가 아닌, 공감을 하는 시대

　현대사회는 다원화된 시대다. 다양한 구성원에 의해 다양한 생각이 공존한다. 이제는 민주주의에 대한 정의를 내리는 것에도, 다양함 안에서 토론과 대화라는 민주적 절차를 통해 합의를 이끌어내는 체제라고 표현할 정도다.

　이렇게 공감의 시대가 된 이유는 역설적이지만 개인주의 시대가 됐기 때문이다. 국내 어느 대학 연구팀에서 30년의 시기를 두고 우리 국민의 가치관 변화에 대한 조사를 한 적이 있는데, 확실히 국민들 인식이 변했음을 알 수 있다.

　조사내용은 '나라를 떠받들 것인지 아니면 자신과 가족을 떠받들 것인지'를 선택하는 문제였다. 답변을 보면, 1980년대 신세대의 49%가 가족과 자신을 선택했으나, 2010년대 신세대들은 93.5%로 확대되었다고 한다. 또한 1980년대 당시 기성세대의 33.7%가 가족과 자신을 선택했으나 2010년대 기성세대는 78.5%가 가족과 자신을 선택했다고 한다.

　21세기는 기성세대와 신세대 구분 없이 나라(국가)보다는 가족과 자신을 먼저 선택하는 시대라는 얘기다. 국가에 먼저 충성하라는 전제주의 사고는 군사정부에서나 듣던 얘기가 됐다.

이는 지금 시대를 살아가는 사람들에게 국가관이 부족하거나 야망이 없어서가 아니라, 지극히 당연한 변화다. 사람들은 국가를 위해 적지 않은 세금 납부와 병역 의무(남성일 경우) 등을 통해 충분히 희생을 치렀거나 치르고 있다. 그리고 이제는 국가가 가족과 개인의 행복을 위해 수혜를 베풀어야 한다고 생각하는 세상이다.

그렇다고 국민들이 국가적 위험이나 위기를 모른 척하는 것도 아니다. 2016년 국민안전처 조사를 보면, 성인들의 83.7%가 전쟁이 나면 참전하겠다고 했으며 대학생 중에는 63%가 참전하겠다고 했다. 국민들은 국가위기 상황이 아니라면 우선의 가치를 개인과 가족에 두는 것뿐이지, 국가의 위기를 모른 척하자는 것이 아니다.

이런 결과는 과거와 달리 다양한 정보를 쉽게 접할 수 있으며, 높아진 의식 및 학력 수준에 따른 영향이라고 할 수 있다. 우리 국민은 기본적으로 고졸 이상이며 성인 대부분이 대학 재학 이상의 고학력자다. 문맹률은 0%에 가깝고 개개인마다 명확한 사회관과 나름의 지식으로 무장되어 있다.

19세기 이전처럼 특수 계층만이 문자를 활용할 줄 알며, 학문을 논할 수 있는 시대가 아니다. 몇 글자 배웠다고 지식 자랑하면서 자기주장만 하는 사람은 이제 전근대식 사고방식으로 치부된다. 한 마디로 '꼰대'라는 소리만 듣게 된다.

지금은 누구든 스마트폰을 통해 자기표현을 하는 세상이다. 40~50대는 물론이고, 60대 이상도 카카오 톡으로 활발한 정보교환을 하며 유튜브, 페이스북 등 디지털 활동을 영유하고 있다. 30대 이하의 세대는 아예 태어날 때부터 디지털 기기를 접한 디지털 네이

티브 세대다.

여기에서 주의할 점이 있다. 온라인에서 자신들의 일방적인 주장이 통할 것이라는 착각이다. 일례로 최근 유행하는 투표 후 인증-샷 놀이는 정치 참여와 높은 정치 관심도를 표현하는 것이 아니다. 단순한 놀이일 뿐이다. 정치권이 투표하자고 독려해서 생긴 현상이 아니라는 사실이다.

SNS와 소셜 미디어는 각자 자기표현의 도구이며 공감을 위한 채널이지, 프로파간다를 위한 루트가 아니다. 공감되지 못할 자기주장은 그를 따르는 극소수와의 교류만을 허락할 뿐, 대다수 사람들에게 반감만 선사하게 된다.

이제는 선동이 아닌 공감이 가능한 콘텐츠와 어젠다를 갖춰야 한다.

2016년 촛불 당시, 광장에 나온 많은 사람들이 외친 것은 "이게 나라냐?" 하는 것이었다. 이는 100만 촛불이 외친 100만 가지 다양한 목소리 중에 유일하게 공통된 주제였다. 어느 누구도 촛불을 모으기 위해 "이게 나라냐?"라고 선동하지 않았고 그래봐야 소용이 없었다. 이제는 사람들이 선동으로 움직이는 것이 아니라, 공감만 된다면 스스로 움직이는 시대다.

헐리웃 영화조차도, 슈퍼맨이라는 강력한 존재가 필연적으로 우리의 적이 될 수밖에 없는 외계인 악당과 싸우는 방식은 이제 고전이 되었다.

각자 많은 사연을 갖고 있는 히어로들이 모여서 자기들끼리 갈등을 거친 후 공감을 이뤄내고, 또 다른 사연에 약간은 악당 같은 상대를 두고 히어로들끼리 협력하며 싸우는 방식이 됐다.

사람들이 공감할 수 있는 콘텐츠는 무엇인가?

그것에 나의 스토리를 맞출 수 있는가? 그리고 그 스토리를 단문 메시지로 표현할 수 있는가? 이것이 지금 시대에 가장 중요한 요소가 되었다. 이것이 21세기 방식이다.

4장 유권자는 변덕스럽다.
그것이 유권자에게 유리하다.

여론조사는 죄가 없다.

유권자의 선택은 신중하다.

실용주의, 유권자에게 먹힐까?

*'유권자는 변덕스럽다. 그것이 유권자에게 유리하다.' 편은 필자가 '혁신과 미래 연구원'의 연구위원 당시 연구보고서로 발표한 것을 추가 및 재구성하여 작성한 것입니다.

여론조사는 죄가 없다

대량살상 데이터 무기. 어떻게 활용하고 보느냐에 달려

데이터는 21세기의 광맥이라고도 하고, 20세기에 석유처럼 국가 흥망을 좌우할 자원으로 21세기의 신(新)에너지라는 얘기까지 있을 정도다. 실제로, 데이터는 미래 사회에 유용한 경제부흥의 원천이 될 수도 있지만, 사용하는 측의 수단에 따라 무서운 무기가 될 수도 있다.

세계적인 수학학자인 캐시오닐은 자신의 저서인 『대량살상 수학무기』(저자 캐시 오닐, 옮긴이 김정혜)를 통해 "어떻게 빅데이터는 불평등을 확산하고 민주주의를 위협하는가?"에 대해 설명해 주었다. 통계와 빅데이터를 악용하려는 측에 의해 진실을 왜곡하는 무기가 될 수도 있다는 것이다. 데이터를 자기가 보고 싶은 용도로만 보고 어설프게 해석하는 일을 경계하라는 의미다.

최근 정치권에서 유용하게 활용하는 데이터 종류에는 여론조사와 빅데이터가 있다. 둘의 목적은 민심과 여론을 알아보고자 하는 점에서 공통점이 있지만, 그것은 데이터를 보려는 목적에서의 공통점이지, 두 가지 간의 분명한 차이가 있다.

여론조사는 사실이나 특정한 가정을 기반으로 삼아 자료제공을 목적으로 데이터를 수집하는 것이다. 빅데이터는 이미 존재하는 데이터를 수집하거나, 기(既) 제공된 데이터로 특정한 목적에 따라 세부

분석을 추가하여 결과 값을 도출하는 것이다. 그럼에도 두 가지 모두 특정한 의도를 갖고 있다면, 순수한 목적과는 다르게 이용될 수도 있다는 점에서 주의를 해야 한다.

구글 트랜드 빅데이터 전문가인 세스 스티븐스 다비도위츠는 자신의 저서인 『모두 거짓말을 한다』에서, "사람들 대부분은 '사회적 바람직성 편향(social desirability bias)'*으로 인해, 설문조사에서 자신은 멀쩡하게 보이기를 원하고 때로는 당혹스러운 행동이나 생각을 축소해서 이야기한다."면서, 이 점을 설문조사 결과와 공식 수치가 다르게 나타나는 원인으로 지목했다.

*사회적 바람직성에 의한 편향 : 사람들이 사회적으로 인정받을 수 있는 방향으로 대답하는 경향을 뜻하는 용어로 심리학 용어. 실험심리학용어사전.

스티븐스 다비도위츠는 여론조사가 2016년 도널드 트럼프의 승리를 예언하지 못한 데는 "트럼프에게 투표할 것이라고 말하기 창피했을 것이고, 어떤 이들은 트럼프로 마음을 굳혀놓고도 아직 결정하지 못했다고 말했을 것이다."라고 하면서 "대체로 여론조사는 트럼프에 대한 지지를 약 2퍼센트 정도 과소평가했다."라고 했다. 그러면서 "진실한 답을 이끌려면 인터넷 설문조사가 가장 낫다."라고 강조한다.

그 이유는 "사람들은 다른 사람들과 함께 방에 있을 때보다 혼자 있을 때, 그리고 자신이 가장 익숙한 환경일 때(요즘은 인터넷 활동이 가장 보편화됐고 편함) 사실을 솔직하게 인정하기 때문"이라고 했다.

여론조사는 보고 싶은 대로 보며 해석할 것이 아니다

여론조사는 통계학적인 이론과 기술을 적용하여 국민 한 사람을 조사대상으로 선택할 확률을 다른 사람을 대상으로 선택할 확률과 같게 하여, 수백 명(또는 수천 명)에게 질문한 결과만으로 국민 전체의 의견으로 신뢰할 수 있는 추계를 내는 것이다.

이렇게 추계를 낸 여론조사는 각 조사 방식과 내용에 따라 해당 여론조사에 대한 신뢰도와 오차범위가 나오게 되고, 이를 여론조사 결과와 함께 공표해야 한다.

공표하는 이유는 해당 여론조사에서 나올 수 있는 신뢰도와 오차에 대해 충분히 고려하며 보라고 알리는 것이다. 우리는 이 점을 가볍게 봐서는 안 된다. 예를 들어 신뢰수준 95%라고 한다면, 같은 조사를 같은 방식과 기간에 같은 표본으로 100번을 진행했을 경우 해당 여론조사 결과와 95번이 같은 결과로 나온다는 것이다. 그리고 5번은 다른 결과로 나온다는 것이다.

오차범위가 ±3.0%p라고 한다면, 결과에서 나오는 최종 지수들이 위아래로 3.0%p 만큼 각각의 오차가 있을 수 있다는 얘기다. 그런데 사람들은 이러한 점은 염두에 두지 않은 채, 무턱대고 '여론조사가 맞느니 틀리느니' 하며 무용론까지 말한다. 그렇다고 다른 방법을 찾으려는 노력을 보여주지도 않는다. 막상 여론조사를 대체해서 여론과 민심을 정량화하여 나타낼 방법도 없다.

결국 현재로서는 여론조사를 얼마나 스마트하게 보며 받아들이느냐, 그래서 어떠한 해석을 하고 어떻게 활용하느냐에 달려 있다고밖에 할 수 없는 현실이다. 그러지 않으면서 여론조사를 일방적으로 불신하고 무시하는 것은, 수십 년간 선거판에서 겪은 경험을 정량화하지 못한 채 무용담과 경험담만으로 일관하는 정치권 호사가들과 다를 것이 없다.

여론조사는 단편적인 것만 보면, 절대로 진실을 알아내지 못한다

선거를 경험하다 보면, 정치권(선거판)에 오랫동안 정설처럼 굳어온, 마치 법칙과 같은 사례가 상당히 맞아 들어가는 것처럼 보일 때가 있다. 일부는 착시효과일 수도 있다. 그렇지만 일부는 정량화하지 못했을 뿐이지 실제로 맞아 들어가는 것도 있다.

예를 들면, "선거를 앞둔 마지막 주말과 선거 10일 전쯤 되는 두 번의 주말에 총력을 기울이고, 유세를 집중하라."는 말이 있다. 이 점은 상당히 근거 있는 얘기고, 실제 데이터(여론조사)를 통해서도 입증됐다.

실제로 투표를 했던 유권자의 50~60% 정도가 선거 전 마지막 두 번째 주말 전부터 자신이 선택할 후보를 결정하기 시작했으며, 15% 정도는 선거 전 마지막 주말에 결정하는 것으로 나타났다.

투표 전 주말과 그 전 주말에 집중하라는 기존 선거판의 정설이 상당히 근거 있는 얘기라는 것이다. 하지만 아직은 선거판에서 통용하는 얘기들에 대해 정량화된 자료가 많지 않다. 그런 자료(데이터)를 모으거나 실험해 보려는 시도마저 거의 없는 형편이다. 아직 우리나라 선거판은 선진적이지 못하다는 얘기다.

전국단위 선거는 정당이 내세우는 대표적인 인물(대권 후보, 선거 지휘자 등)과 그들의 메시지가 막대한 영향을 주며, 이러한 점이 전체 선거 판세에서 절반 이상을 좌우한다는 얘기가 있다.

실제로 정당과 선거시장에 있는 사람들은 이 점을 거의 맹신하다시피 한다. 그런데 이와 관련하여 존재하는 정량화된 자료에서는 그렇지 않다고 나와 있다.

실제로 투표를 한 유권자들은 총선에서 지역구 후보를 선택하기 위한 판단 기준으로, '후보의 인물/능력'과 '공약/정책' 등 두 가지 사항을 보며 결정했다는 여론조사 응답이 60%가 넘었다. 정량화된 자료에 의하면 정치권의 통설이 맞지 않는 것이다.

선거판의 통설이 잘못된 것인지, 아니면 우리가 정량화된 자료를 잘못 읽거나 조사를 제대로 하지 못한 것인지 어느 것이든 확인이 필요하다. 우리 정치권에서는 이러한 확인 작업조차 부족한 실정이다. 그저 모두가 선거 때가 되면 '떴다방'처럼 몰려다니듯 나타나 여론조사 등 선거기획 상품을 팔고난 후, 해당 상품의 검증이나 품평 없이 선거가 끝나면 다시 어디론가 사라지고 만다.

어려운 일이지만, 이러한 확인 작업을 작게나마 시작해보겠다.

몇몇 특정한 지표를 확인해 보면, 여론조사 결과가 실제 지표와 큰 차이를 보이는 사례가 적지 않았다. 이 부분에서 스티븐스 다비도위츠가 언급한 것을 생각하지 않을 수가 없다. 여론조사 응답자들이 '사회적 바람직성 편향'을 갖고 여론조사에 임했을 수 있다는 점이다. 그렇지 않고는 여론조사 결과와 실제 지표(결과)가 다르게 나오는 것에 대하여 이해하기가 쉽지 않다.

결론은, 여론조사 지표를 '얼마나 스마트하게 읽어내느냐?'가 중요하다. 우리가 보고 싶은 부분만 보며 점검해야 할 다른 것을 놓치거나 빼놓을 것이 아니라, 여론조사 전체를 보며 얼마나 효율적으로 읽어내고 분석해낼 것인가가 중요하다는 말이다.

여론조사는 통계학에 근거하여 나온 결과를 내놓았을 뿐이다. 여론조사는 단편적인 것만 보면, 절대로 진실을 알아내지 못한다.

특정한 사안에 대하여 여론조사 결과가 실제 지표와 다르더라도 여론조사가 틀렸거나 잘못된 조사를 한 것이 아니라, 어쩌면 여론조사에 응답하는 유권자에게 우리가 속고 있을 수도 있다는 것을 유념하고 보아야 한다. 여론조사에서 유권자의 심리와 조사 당시의 상황 등을 십분 고려하며 해석해야 한다는 뜻이다.

선거 전 여론조사에서는 높은 투표 의지, 그에 비해 낮은 실제 투표율

*표29) 20대 총선 전 투표의지에 대한 조사와 선거 후 실제 투표율 비교

	선거 10일 전 여론조사 응답	선거 10일 전 여론조사 응답	선거 직후 여론조사 응답	실제 투표율
전체	76%	66.6%	59.5%	58.0%
19~29세	71%	55.3%	44.1%	49.4%
30대	74%	58.3%	52.0%	49.5%
40대	79%	72.3%	61.5%	53.4%
50대	75%	67.4%	65.6%	65.0%
60대	80%	75.7%	70.6%	70.6%
비고	한국갤럽 '16. 4월 1주 차 정례조사	20대 총선 유권자 의식조사(선관위) 內 여론조사 결과(리서치앤리서치)		방송 3사 출구조사 및 실제 결과

*표30) 19대 총선 전 투표의지에 대한 조사와 선거 후 실제 투표율 비교

	선거 10일 전 여론조사 응답	선거 10일 전 여론조사 응답	선거 직후 여론조사 응답	실제 투표율
전체	78%	58.1%	54.3%	54.2%
19~29세	62%	35.9%	27.9%	45.0%
30대	72%	49.4%	43.3%	41.8%
40대	79%	57.0%	57.4%	50.3%
50대	87%	66.7%	67.6%	64.6%
60대	89%	80.6%	74.2%	69.7%
비고	한국갤럽 '12. 4월 1주 차 정례조사	19대 총선 유권자 의식조사(선관위) 內 여론조사 결과(코리아리서치)		방송 3사 출구조사 및 실제 결과

　선거 전에 응답한 여론조사와 선거 직후 여론조사, 그리고 실제 투표율 등을 비교해보면, '투표 전 여론조사에서 보여준 유권자들의 투표 의지와 실제 투표율', 그리도 '여론조사에서 투표를 했다고 응답한 비율과 실제 투표율' 등 두 가지 관점에서 비교를 해봐야 할 것이다.

　유권자들은 투표 전까지는 투표에 대한 상당한 의지를 보였으나 실제 투표율은 달랐다. 20대 총선 때는 실제 투표율이 투표의향 응답과 비교해 연령대별로 8%p~18%p 정도 감소했고, 19대 총선 때는 4%p~24%p 정도 감소했다. 19대 총선 때는 19~29세를 제외하고 모든 연령에서 낮아졌다. 특히 매주 정례조사를 하는 여론조사에서 보인 응답자들의 투표 의지는, 선관위 유권자 의식조사보다 훨씬 높게 나왔다.

　정례조사는 선관위 의뢰 조사와 달리, 분명한 정치적 의사를 묻는

조사였고 그에 따른 영향이 미쳤다고 볼 수 있다. 선관위 조사는 정치성향을 묻기보다 선거 행태에 대한 의식조사였고, 정례조사는 대통령 국정평가와 지지하는 정당 여부 및 기타 정치·사회적 질문이 포함된 설문이다.

정례조사는 선관위 조사보다 응답자들의 '사회적 바람직성 편향'을 더 높게 해줄 가능성이 크다. 그래서 정례조사에서 투표의지에 대한 응답이 매우 높았을 것이다. 이 얘기는, 여론조사에서 나타난 투표 의지에 대한 결과는 큰 의미를 둘 필요가 없다는 점을 알려준다.

정치·선거와 관련한 여론조사에서 투표 의지 여부를 묻는 것은 그 이후에 진행될 다른 항목의 답변을 좀 더 적극적으로 끌어내기 위한 설계 중 하나다.

실제 투표율을 가늠할 만한 용도보다는 같은 여론조사 안에 다른 항목의 응답을 이어가기 위한 기능으로 보는 것이 좋다.

선거의 특수성에 의해 나온 지표와 통계자료 사이의 차이

선거 전에 투표의지를 묻는 조사는 그렇다고 쳐도, 선거 직후 여론조사에서 '투표 여부에 대한 응답'과 '실제 투표율'을 비교하다 보면 이 역시 차이가 난다. 여론조사에서 투표했다는 전체 응답과 실제 전체 투표율은 비슷하게 나오지만, 연령별 응답과 투표율에서는 다소 차이가 있다.

19대 총선은 19~29세 연령대만이 여론조사 응답보다 실제 투표율이 크게 높았고(17.1%p 차이), 다른 모든 연령대는 실제 투표율이 낮았다.

20대 총선에서는 50대와 60세 이상은 대체로 비슷하지만 다른 연령대에서는 크게 차이가 났다. 19~29세는 투표를 했다는 응답 비율보다 실제 투표율이 높았으나, 30~40대는 반대로 크게 낮아진다. 이런 차이 때문에 여론조사가 정확하지 않다거나 문제가 있다고 해서는 안 된다.

그것은 작은 돌멩이 하나를 보고 '자갈밭뿐이다.'라고 하는 것과 다르지 않다.

여론조사는 인구를 비례 할당하여 진행된 조사다. 하지만 실제 투표는 그렇게 할당되어 이뤄지지 않는다. 지역적 특성 등으로 인해 투표율이 높은 곳과 그렇지 않은 곳들이 존재하기 때문이다.

그러므로 여론조사가 '맞다, 틀리다'로 볼 것이 아니다. 인구를 비례 할당하여 평균을 낸 통계와 선거라는 특수성에 의해 나타나는 차이일 뿐이다.

한 가지 더 유념해볼 사안이 있다.

여론조사에서 투표했다고 응답한 사람들이 진짜로 투표를 했는지에 대한 사실은 응답자 자신들만 알고 있을 것이다.

응답자들이 '사회적 바람직성 편향'으로 인해 투표를 실제로 하지 않았으면서, 여론조사 응답에서는 '투표를 했다.'고 답했을 수도 있다는 점이다.

여론조사에서 이것을 밝혀낼 방법은 없다. 응답자들이 그렇게 했다고 하면, 그것이 여론조사 결과에 반영되는 것이다. 방법은 응답자들의 응답을 믿는 수밖에 없다. 분명한 사실은 여론조사 결과가 틀린 통계를 낸 것은 아니라는 점이다.

다음은 실제 투표를 한 유권자들이 자신이 선택한 후보를 언제 결정했는지 알아보기로 하자. 자신이 선택할 정당에 대해서는, 유권자들이 자신들의 확고한 정치·이념적 신념으로 인해 비교적 일찍 정하지만, 지역구 후보는 유권자들이 거주하는 지역의 특색과 개개인마다의 이해관계가 있기 때문에 좀 더 신중한 선택을 한다. 그래서 결정하는 시기가 느린 편이다.

유권자의 선택은 신중하다

유권자 4명에 3명은 공식 선거운동이 시작된 이후부터 후보를 결정

정치권이나 정치에 관심이 많은 사람들이 생각하는 것과는 달리, 유권자는 매우 신중한 선택을 하고 그로 인해 유권자들의 후보 선택 시기는 상당히 늦다.

19대 총선 당시만 해도 공식 선거운동이 시작되는 시기 전에(투표 3주 이상 전) 자신이 지지할 후보를 결정한 유권자는 5명 중 2명 정도(약 40%)였으나, 20대 총선 이후에는 4명 중 1명꼴로(25% 이내) 줄었다.

*표31) 제7회 지방선거 당시 후보를 결정한 시기(사전 투표자는 사전 투표일 기준)

2018년 6월 14일 조사	당일	1~3일 전	4~7일 전	1주일 이내 소계
	8%	15%	20%	**43%**
	2~3주 전	1개월 전	2~3개월 전	모름/무응답
	10%	15%	28%	4%

*자료 출처 : 한국갤럽 2018년 6월 2주차 정례조사

19대 총선은 야권연대(민주통합당과 통진당)로 인하여 확실한 양자 구도가 형성됐다. 이로 인해 유권자들의 선택지가 두 군데로 좁혀졌다. 그래서 투표 3주 이상 전부터 자신이 선택할 후보를 미리 결정한 비율이 높아진 것으로도 볼 수 있다.

*표32) 실제 투표한 사람 중에서 지지할 후보를 결정한 시기

	제7회 지선 (기초단체장 기준)		20대 총선		19대 총선	
투표 당일	10.3%		5.6%		6.5%	
투표 1~3일 전	15.0%		16.4%		13.6%	
투표 1주일 전쯤	26.4%	76.8%	25.4%	76.4%	19.2%	60.3%
투표 2주일 전쯤	14.6%		18.0%		11.9%	
투표 3주일 전쯤 (공식 선거운동 시작)	10.5%		11.0%		9.1%	
투표 3주 이상 전에	23.2%		23.6%		39.7%	
	케이스탯 리서치		리서치앤리서치		코리아리서치	

*인용자료 출처 : 제7회 지방선거/20대 총선/19대 총선 선관위 발간 유권자 의식조사

그러나 20대 총선은 다당(多黨) 구도로 형성됐으며, 대부분 정당에서 후보 공천이 늦어지는 등 유권자가 투표 3주 이상 전에 미리 후보를 결정할 수 있는 여지가 줄어들었다.

후보의 선택 시기가 늦어진 것에 대해 해석해보면, 유권자들은 예비후보 단계에서는 관심이 없다는 것으로 유추해볼 수 있다.

투표 3주 이상 전은 정당의 공천이 결정되기 전이다. 대개 공식선거운동이 시작되기 2~3일 전에야 후보가 확정된다. 공천이 확정되는 시기가 투표 3주일 전쯤이다. 76% 이상의 유권자는 정당들의 경선(공천)이 끝난 후에야 후보를 결정한다고 볼 수 있다.

다시 말해, 예비후보 단계에서 각 정당 내의 경쟁(경선)은 그들만의 리그일 뿐으로, 다수의 유권자는 예비후보 단계의 선거 캠페인과 경선(경쟁)에는 별다른 관심이 없다는 것으로 해석할 수 있다.

눈여겨 볼 점은 하나 더 있는데, '표31'과 '표32'에서 제7회 지방선거 당시 후보 결정 시기에 대한 조사 결과가 약간 다르게 나온다.

'표31'의 정례조사에서는 투표 1주일 전부터 결정한 비율이 43%이고, 선관위 유권자 의식조사('표32')에서는 51.7%나 된다. 또한 정례조사('표31')에서는 투표 한 달 전 이상의 시기에 결정한 경우는 43%였으나, 선관위 조사('표32')에서는 23.2%에 불과하다. 비슷한 내용의 질문인데 결과는 매우 다르다.

그런 이유가 있다. 두 조사는 조사시점과 모집단 및 표본 집단이 다르고 조사 설계도 다르다.

애초의 여론조사 전체의 조사목적도 달랐으며 조사결과 추출 방식 그리고 조사 당시 다른 항목들 등도 모두 다르다.

한 마디로 두 조사는 해당 내용만 보면 비슷한 내용이지만, 기실은 완전히 다른 조사라는 것이다. 그렇기 때문에 두 조사의 해당 질문 항목에서의 결과가 다를 수밖에 없다.

중앙선관위는 전국선거가 있을 때마다 동일한 목적을 가지고 유권자를 대상으로 조사를 한다. 조사방식과 기법, 설계 등을 거의 동일하게 진행한다. 그러다보니 선관위에서 진행한 조사결과들은 다른 선거라고 하더라도 결과 데이터가 한 마디로 '튀지' 않게 나온다. 실제로 '표32'처럼 7회 지방선거, 20대와 19대 총선 등 선거마다의 결과에 차이가 다소 있지만 전혀 다르게 나타나지는 않는다. 흐름을 유추해볼 수 있도록 나오고 있다.

후보를 선택하는 시기를 통찰해 보면, 극명한 양자 구도(19대 총선)일 때와 다자 구도(20대 총선)일 때가 비교된다. 양자 구도는 유권자들 선택의 폭이 좁아짐으로써 자신이 지지할 후보를 상대적으로 빨리 결정하지만(다자 구도일 때보다 16%p 높음) 유권자들에게는 흥미롭거나 좋은 일이 아니라는 것을 보여준다. 극심한 진영대결과 다양하지 못한 선택지는 유권자들에게 확실히 부정적인 요소다.

이는 투표율만 봐도 증명이 된다. 양자 구도였던 19대 총선의 전체 투표율(54.2%)과 비교해, 다자 구도였던 20대 총선의 전체 투표율(58.0%)이 3.8%p 높았다.

유권자들에겐 선택의 폭이 넓어진 만큼 흥미를 주었다는 것이고, 적극적인 투표로 이어졌다고 할 수 있다. 유권자들이 20대 총선에서 후보에 대한 선택을 (19대 총선에 비교해) 늦췄던 이유는, 그만큼 총선이 흥미롭게 진행됐기 때문으로 볼 수 있다.

시시각각 변하는 유권자 심중. 조석변개하는 민심

단 한 명의 선출직을 뽑는 대선을 참고해보면, 응답자들의 의중은 계속해서 변하고 있다. 여기서 잠시 참고삼을 것이 있다. 선거에서 메시지가 얼마나 중요한지를 깨닫게 해준다.

지난 19대 대선에서 실제 득표율과 투표 전 여론조사 지지율을 비교해보면, 유권자(응답자)들의 심경이 시시각각 변하고 있다는 점을 확인할 수 있다.

최종 결과와 유사하게 나타난 적이 한 번도 없었다.

유권자들은 최종 선택까지 많은 고심을 했다. 19대 대선 1달 전부터 투표일 바로 전날까지 전체 응답자 중 최소한 30% 정도 이상이

*표33) 19대 대선, 실제 득표율과 투표 전 여론조사 지지율 비교

후보	문재인	홍준표	안철수	유승민	심상정	없음/무응
실제 결과	41.08%	24.03%	21.41%	6.76%	6.17%	-
D-1~2일	38%	17%	17%	7%	7%	14%
D-7~8일	38%	16%	20%	6%	8%	11%
D-2주	40%	12%	24%	4%	7%	11%
D-3주	41%	9%	24%	4%	7%	12%
D-1월	40%	7%	37%	3%	3%	10%
'17. 4월 1주 차 (각 당 후보 결정)	38%	7%	19%	3%	3%	13%

*인용자료 출처 : 중앙선관위 선거데이터 및 한국갤럽 정례조사 자료

여러 후보를 오간 것으로 나타난다. 그러면서 특정후보의 지지를 지속하는 응답층도 보인다. 문재인 후보는 최소한 38%의 확고한 지지층이 있었고, 안철수 후보는 17%, 홍준표 후보 7%, 유승민 후보 3~4%, 심상정 후보 5% 이하 등으로 볼 수 있다.

문재인 후보는 실제 득표율과 선거 전 지지율에서 약간의 차이는 있었지만, 큰 변동은 없었다. 여론조사 상 무응답층 중에 2~3%p 정도가 실제 투표에서는 문재인 후보로 이동한 것으로 볼 수 있다.

홍준표 후보는 상승을 지속했다. 보수층이 위기감을 느끼면서 결집했다고 볼 수 있다. 실제로 홍준표 후보는 이 점을 활용한 선거 캠페인(색깔론, 노이즈 마케팅 등)을 진행했다. 상승세를 유지하고 있었던 관계로 선거 전 마지막 조사의 지지율보다 높은 득표율을 받았으며, 여론조사 상 무응답층 중에 5~6%p 정도가 홍준표 후보에게 이

동한 것으로 볼 수 있다.

안철수 후보는 최종 후보로 결정된 후 잠시 높은 상승을 보였으나 이후부터는 하락을 지속했다. 선거 캠페인의 실패와 TV토론의 영향으로 하락 추세를 막지 못했다. 마지막 여론조사 상 무응답층의 이동으로 실제 득표율이 4~5%p 정도 추가된 것으로 볼 수 있다. 선거 막판 새로운 캠페인에 대한 효과와 함께 무응답층 안에 다수를 이루었던 중도계층이 이동한 것으로 보인다.

유승민 후보는 완만한 상승을 보였다. 득표율도 선거 직전 지지율과 큰 차이가 없었다.

심상정 후보는 투표 3주 전에 지지율의 일시적인 상승 후 유지를 하고 있었다. 최종적으로는 정권교체의 의지로 인해 일부 진보계층이 문재인 후보에게 이동(집결)한 것으로 보인다.

19대 대선은 선거 1개월 전만 하더라도 문재인-안철수 두 후보가 각축할 것으로 보였지만, 우리나라 정치 환경에서 1개월은 매우 긴 시간이다. 실제로 이런 점이 확인된 것이 19대 대선이다.

1개월 사이에 빈번한 변화가 있었고, 그 변화를 초래하는 많은 사건과 말들이 오갔다.

특히 안철수 후보는 'MB 아바타' 발언 후 1주일 만에 4%p가 빠져나갔고, 홍준표 후보는 4%p가 상승했다. 안 후보는 투표 1개월 전과 실제 득표율을 비교하면 1달 사이 무려 15%p 이상이 빠져나갔다. 선거에서 메시지가 얼마나 중요한지를 보여주는 단적인 사례다.

19대 대선은 TV 토론과 메시지가 얼마나 중요한지를 제대로 알려준 선거였다. 안철수 후보의 'MB 아바타' 발언은 대선에서 TV토론의 중요성을 알려주는 중요한 사례로 회자될 것이다. 아마도 최소한

한 20년 이상 각종 방송자료로 사용될지도 모르겠다. 대선 TV토론에서의 발언 하나가, 전체 선거판을 흔들어놓는 대표적인 사건이 되었다. 그런 정도로 당시 안철수 후보의 발언은 대단한 실수였고, 전략의 부재를 그대로 드러낸 사례였다.

한국의 정치 환경에서 1개월은 1년과 같다

*표34) 21대 총선에서 실제 득표율과 투표 전 여론조사 지지율 비교

	민생당	미래한국당	더불어시민당	정의당	국민의당	열린민주당	부동층
21대 총선 결과	**2.71%**	**33.8%**	**33.4%**	**9.7%**	**6.8%**	**5.4%**	–
4월3주(선거 2일전)	1.4%	23%	25%	11%	5%	9%	21%
4월2주	2.6%	22%	23%	13%	6%	8%	22%
4월1주	2%	23%	21%	11%	5%	10%	25%
3월3주	0.4%	24%	25%	9%	6%	9%	24%

*인용자료 출처 : 중앙선관위 선거데이터 및 한국갤럽 정례조사 자료

정당투표를 병행해야 하는 총선에서 실제 결과와 투표 전 응답자들의 변화를 보면 대선과는 다른 양상을 보인다.

21대 총선에서 결과와 투표 1달 전 비례선거 지지 의향을 묻는 여론조사를 비교해보면, 한 사람의 선출직 공무원을 뽑는 대선보다 무응답층이 두텁게 형성되어 있다. 물론, 선거에 임박해서 조금 감소되지만 선거 2일 전까지도 무응답층이 20%를 넘어섰다(21%).

부동층이 두터웠던 만큼 여론조사에서의 실제 결과 지표에 차이가

난다. 여론조사에서 부동층이었던 응답자들은, 마음에 들지 않더라도 실제 선거에서 어딘가에는 투표를 해야만 한다. 그로 인해 여론조사 지지율과 실제 결과가 약간 다르게 나타나게 되었다.

부동층의 대부분이 거대 양당으로 몰렸다.

부동층은 한국정치의 큰 갈래인 두 정당 사이에서 어디로 축을 기울여 줄지를 고민했던 것이다.

미래한국당은 마지막 조사보다 실제 득표율이 10%p 이상 높았고, 더불어시민당은 8%p 정도가 높았다. 그리고 열린민주당은 3.6%p가 낮아졌는데 유권자들은 범여당이 아닌, 확실한 여당으로 결집하였다. 정의당도 1.3%p 낮아졌는데 여당의 확실한 승리를 위해 일부 진보계층이 더불어시민당으로 이동했을 것으로 보인다.

그렇다면 선거 전 부동층 중에 절반 이상이 미래한국당을 선택했다는 것으로 귀결된다.

이 말은 보수층이 보수정당을 선택하지 못하고 끝까지 고민했던 것으로도 볼 수 있다. 그럴 정도로 보수정당은 보수층에게서조차 확신을 주지 못했다. 확실히 정당투표는 유권자들의 정치·이념이 갈리는 영향으로 인해, 인물을 선택하는 선거와 달리 지지율의 등락이 크지 않아 보인다. 그럼에도 두터웠던 부동층이 끝까지 고민을 하였고, 일부 진보계층과 중도계층의 변화도 있었다.

21대 총선은 매우 많은 정당들이 난립했고, 불완전하고 엉성한 형태지만 연동형 비례제가 적용되었다. 유권자 입장에서는 이전의 선거와 달리, 혼동이 있었을 것이고 그로 인한 선택의 신중함이 더해졌을 수도 있다. '표34'에 표시된 정당들 외에도 수많은 정당들이 존재했으며, 3% 이하의 득표율을 받은 정당들의 득표율 합은 10.73%나 된다.

우리 국민 10명 중 1명의 의사는 21대 국회에 반영이 되지 않았다는 이야기다. 21세기는 다양성의 시대이다. 국민의 수만큼 다양한 각자의 목소리가 존재한다. 그런데 지금 의회는 국민 10%의 정치적 의사가 배제된 상태로 구성되어 있다고 할 수 있다. 이 점을 해소하기 위해 국회와 정치권은 머리를 맞대고 다시 논의해야 할 것이다.

유권자들의 후보 선택 기준.
과연 우리는 정확하게 알고 있는 것일까?

여론조사에서 유권자들이 후보자 선택 기준을 나타내는 것을 보면, 유권자는 우리(정치권)를 속이고 있을지도 모른다는 생각이 들기도 한다. 어쩌면 유권자 스스로를 속이고 있는 것일 수도 있다.

꽤 많은 유권자가 "공약이나 정책을 보고 결정했다(또는 하겠다)."라고 말하지만, 유권자들에게 기억에 남는 정책이나 공약을 말하라고 하면, 대답하지 못하는 경우가 대부분이다. 현장에서 만난 유권자들도 비슷한 질문을 하면, "인물을 보고 결정했다(또는 하겠다)."고 말한다. 그런데 정작 당선자(국회의원이나 기초단체장) 이름을 물으면 모르는 경우가 매우 많다.

유권자들은 여론조사에서든 현장에서든 '사회적 바람직성 편향'에 따른 응답을 했을 가능성이 높다. 결국, 유권자의 선택 기준은 정당과 정당의 핵심 정치인(선거 지휘자나 대권주자) 또는 그들이 내놓는 메시지일 가능성이 크다.

다른 관점에서 보면 정당과 후보, 유력한 정치인이 내놓은 메시지가 얼마나 영향을 미치는가에 대한 연구와 조사가 부족했기 때문일 수도 있다. 그만큼 우리 정치에서 과학적 분석과 연구 및 조사는 양적·질적으로 모두 부족하다.

우리 정치는 아직까지 어느 기업가의 말대로 '4류'에 머물고 있는 것은 아닌지 반성해야 한다.

유권자들이 총선에서 비례선거 투표와 지역구 후보 투표에 대해 이원화하여 별개로 판단했다는 것은 익히 알려진 바다. 이는 20대 총선에서 서울·수도권 지역의 결과가 증명한다.

비례 투표는 국민의당을, 지역구 투표는 민주당 후보를 선택한 것이다. 그런데 이것을 엄밀하게 본다면 유권자는 비례 투표와 지역구 투표에서 두 개의 정당에 투표한 것이라고 볼 수 있다. 다시 말해 유권자는 20대 총선에서 두 번 정당투표를 한 것이다.

20대 총선과 21대 총선에서 보여준 유권자들의 전략투표는 반(反)새누리당 정서로 봐야 한다. 비례투표든 지역구 투표든 어떤 것에서도 새누리당(현 국민의힘)을 절대로 선택하지 않았다. 당시 민주당과 국민의당은 분명히 반(反)새누리당이었다.

20대 총선은 박근혜 전 대통령의 탄핵과 촛불이 벌어지기 불과 6개월 전에 진행됐다. 이미 민심이 새누리당과 박근혜 정권을 떠나고 있었고, 20대 총선은 그 시작을 알린 것이었다. 그리고 21대 총선에서 귀결된 민심을 보게 된 것이다.

그런데 이러한 것을 확인해보는 여론조사는 없었다. 그러한 점을 정량화하여 나타낸 조사나 지수가 존재하지 않는다. 그렇지만 정치권과 유권자 대부분은 짐작하고 있다. 20대 총선은 다수의 유권자가 반(反)새누리당 성향을 보이면서 새누리당과 박근혜 정권이 몰락하는 과정에 있었고, 21대 총선은 그 최종 결과를 확인하는 선거였다는 것을 말이다.

유권자들에 대한 정밀한 조사조차 없이 표만 달라는 우리 정치

기존의 여론조사나 유권자 의식조사를 확인해 보면, 20대 총선에서 투표를 했던 유권자들은 '반(反)새누리당 기류에 의한 정당투표는 아닌 것'으로 보인다. 또한 '핵심인물과 그들이 내놓은 메시지를 보고 선택한 것이 아니다.'라고 나타낸다. 유권자 의식조사에서 60%가 넘는 응답자들이 지역구 후보의 '인물/능력'이나 '정책/공약'을 보고 결정했다고 응답했기 때문이다.

하지만 유권자 대부분이 자신이 선택한 후보의 공약과 정책을 기억하지 못한다. 심지어 당선자 이름도 모른다. 당선자가 아니어도 자신이 선택한 후보자 이름조차도 기억하지 못한다. 누구를 선택했는지 물으면 어느 정당의 후보라는 정도만 기억한다. 이것이 현실이다. 그런데 아쉽게도 이것 역시 증명할 만한 정량화된 지수가 없다.

선거의 절반 이상을 좌우하는 '인물과 메시지'

정치권과 선거판에서의 통설은, '총선에서 가장 중요한 것은 인물(선거를 지휘하거나 강력한 대선 후보의 존재 여부)과 메시지'라는 점이다. '인물과 메시지'가 총선의 각 지역구 선거에서도 절반 이상의 영향

*표35) 20대 총선에서 지지 후보 결정에 고려사항

	선거 20일 전 여론조사 응답	선거 10일 전 여론조사 응답	선거 직후 여론조사 응답
인물/능력	35.1%	33.3%	37.6%
소속 정당	16.0%	18.9%	24.2%
정책/공약	27.3%	28.2%	22.4%
주위 평가	4.0%	4.1%	6.5%
정치 경력	5.8%	6.7%	5.3%
출신 지역	1.6%	1.5%	3.0%
개인적 연고	1.8%	1.1%	1.0%
기타	4.4%	3.8%	
모름/무응답	4.0%	2.4%	
비고	투표 전 전체 응답자 설문		투표한 유권자

*인용자료 출처 : 20대 총선 선관위 발간 유권자 의식조사. 리서치앤리서치 조사

*표36) 17~20대 총선에서 지지 후보 선택 시 고려사항(투표한 유권자 응답)

	17대 총선 직후 조사	18대 총선 직후 조사	19대 총선 직후 조사	20대 총선 직후 조사
인물/능력	33.7%	33.5%	34.6%	37.6%
소속 정당	39.0%	36.6%	39.8%	24.2%
정책/공약	18.3%	14.6%	16.1%	22.4%
주위 평가	-	5.4%	3.6%	6.5%
정치 경력	2.9%	2.3%	2.6%	5.3%
출신 지역	1.4%	-	1.8%	3.0%
개인적 연고	1.0%	1.7%	1.5%	1.0%
기타	2.2%	6.0%	-	-

*인용자료 출처 : 17대, 18대, 19대, 20대 총선 선관위 발간 유권자 의식조사

*표37) 17대~20대 총선에서 지지 정당(비례대표) 선택 시 고려사항
 (투표한 유권자 응답)

	17대 총선 직후 조사	18대 총선 직후 조사	19대 총선 직후 조사	20대 총선 직후 조사
정당 정견/정책	44.47%	28.6%	32.6%	26.8%
비례대표 후보 인물/능력	19.9%	15.1%	17.1%	24.1%
선호했던 정당	-	28.3%	26.5%	22.1%
지역적 지지 기반	10.5%	9.3%	11.4%	14.0%
찍을 후보자와 같은 정당	21.5%	15.6%	10.9%	8.9%
특정 인물 지지해서 만든 정당	-	3.0%	1.5%	3.6%
기타	3.4%	-	-	0.5%

*인용자료 출처 : 17대, 18대, 19대, 20대 총선 선관위 발간 유권자 의식조사

력을 좌우한다는 것이다.

아쉽게도 이 점을 확인시켜줄 정량화된 자료나 근거는 없다. 그럼에도 선거판에서 많은 경험을 한 사람들은 이런 점을 직감적으로 믿고 있으며, 근거를 대지 못할 뿐이지 대부분 동의하고 있다.

하지만 여론조사처럼 정량화한 조사에서의 수치는 그러한 선거판의 통설과는 다른 결과가 나오고 있다. 어쩌면, 유권자들은 '사회적 바람직성 편향'을 보여준 것일지도 모른다. 여론조사에서 응답자들은 자신의 솔직한 응답을 숨기는 것일 수도 있다.

요즘 같은 정치풍토에서 응답자들이, '정당이 내놓은 메시지에 동감해서 찍어줬다.'라고 답하기가 쉬운 일인지도 생각해보아야 한다.

분명한 점은 여론조사 결과는 유권자가 응답한 대로 나온 순수한 통계를 보여줬을 뿐이다.

또 하나는 이러한 점을 자세하게 분석할 만한 조사 등이 없었기 때문에 정량화된 자료가 존재하지 않는다는 사실이다.

설문 항목에도 '정당(정당을 대표하는 인물)이 내놓은 메시지나 어젠다를 보고 선택했다.'라는 답변 항목이 존재하지 않았다. 그러므로 '전국 선거는 인물과 메시지가 좌우한다.'라는 통설은 틀린 것이 아니며, '이를 증명해줄 조사가 없었기 때문에 이에 대한 정량적 기준이 존재하지 않을 뿐이다.'라고 해야 맞는 말이 될 것이다.

전국단위 선거에서 정당이 앞세운 인사나 새로운 인물을 영입하는 것은 정당의 선거전략에 대한 확실한 표현이 되며, 정책실현의 의지를 유권자들에게 전달시킬 수 있는 가장 확실한 방법이다.

주요(핵심) 인사를 통한 전략적 메시지가 유권자를 움직일 수 있다. 이 점은 정례 여론조사에서 각 정당의 지지율이 출렁이는 시기를 보면 확인할 수 있다.

정치는 대면방식의 커뮤니티라고 할 수 있다.

그러니 정치와 선거에서 메시지는 생명과 같다. 정당과 정치인은 전략이나 철학이 담긴 메시지를 생산하고 이를 여론이나 민심을 통해 수렴한다. 지역 현장이나 SNS 등을 통해 직접 유권자들의 의견을 들을 수도 있다. 대면방식의 커뮤니티가 비록 구식이라고 하지만 정치에서는 그것이 생명이다.

그런데 최근 우리나라는 물론이고 해외에서도 소통 방식이 많이 달려졌다. 『총균쇠』의 저자인 제러드 다이아몬드의 또 다른 저서 『대변동』에서 저자는, "근래 디지털 현상은 비대면 방식의 커뮤니티를 확산하고 깊게 해주었다."라고 했다.

비대면 방식의 커뮤니티가 디지털 시대에서는 거스를 수 없는 대세라는 점은 분명한 사실이다. 그런데 그런 방식의 결과가 가히 좋지만은 않아 보인다. 정치적 양극화를 불렀고 소통과 공감의 단절을 부추겼다. 그리고 상대에 대한 극단적 평가와 비판만 횡행하게 만들어 버렸다. 정치에서 생명과 같은 협의와 타협을 실종시켰다.

　대표적인 사례가 SNS다. 자기주장만을 강조하고 팬덤화된 지지층의 극성스런 환호만이 남아 있다. 반대파를 포함하여 누구라도, 자신에게 조금의 지적만 하면 팔로우–십을 단절한다. 심지어 댓글 등을 통해 집단 린치도 서슴지 않는다.

　대다수의 유권자와 SNS 극성 유저들의 활동 사이에서, 어느 것이 정의이고 올바른 것인지 구분하기가 힘든 지경까지 왔다. 정치인과 지지자들 모두 자체 정화의 노력이 필요하고, 그런 부작용을 막기 위해 함께 연구하며 노력해야 할 것이다.

실용주의, 유권자에게 먹힐까?

중도계층이라기보다는 스윙보터. 실용주의 성향

필자는 앞선 '민주당 장기집권 쌉파서블?'편과 '서울·경기는 민주당 우세 광역시도, 서울 강북은 민주당 텃밭' 편에서 중도성향 유권자의 판단이 정치지형을 판가름해주고 있음을 설명했다.

또한 민주당은 진보정당이 아니라 중도주의 정당이며, 중도주의 스탠스를 보여줌으로써 정치적인 우위를 점할 수 있었음을 역설했다.

중도(中道)는 불교에서 유래한 용어로 치우치지 않는 바른 도리를 말한다. 우리나라에서는 진보와 보수라는 양 이념지형에서 자유로운 선택을 하는 계층을 표현하는 단어이기도 하다. 중도는 '진보', '보수'처럼 이념적으로 구분할 수 있는 존재가 아니다. 하지만 우리나라에서는 줄곧 '중도층'이라 표현하고 있으며 진보·보수에 이어 제3의 이념계층으로 표현하고 있다.

중도라고 표현되는 계층은 그 성격상 '중도계층'보다 '스윙보터' 또는 '부동층'이라고 표현하는 것이 적절하다. 스윙보터는 각자의 관점에서 진보적 정책이 옳다고 생각할 때는 진보세력을 지지하고, 그 반대로 보수적 정책이 옳다고 생각할 때는 보수 세력을 지지하는 것일 뿐이다. 과거 어느 여론조사에서 중도성향에 대한 정의를 물었는데, 대다수가 '실용주의'로 응답했던 것으로 기억한다.

스윙보터는 최근처럼 기존 양당의 극단적 이념대립에 피로감을 쉽게 느끼는 계층이며, 이럴 때 새로운 세력이 발생할 경우 그들을 대안으로 선택할 여지가 높은 사람들이라고 할 수 있다. 사례로 들면 (20대 총선 당시) 국민의당, (19대 대선 당시) 안철수, 1992년 당시 정주영의 통일국민당, 2007~2008년 당시 문국현의 창조한국당 등이 있었다. 그러나 모두 일시적인 성공이었을 뿐이다. 아직까지 우리나라에서 중도(실용주의)를 실현하고 성공한 정당과 정치인이 없다.

실용주의는 이념적 지향점이 없기 때문에 탈이념 성향을 보인다. 실용주의자들은 이념적 분류를 거부한다. 이러한 점 때문에 제3지대 또는 중도 등으로 포지셔닝하려는 정당과 세력이, 극단화된 이념 대결과 이념 구도를 벗어나 실용주의를 표방하는 경우가 간혹 있다. 또한 정치적으로 자신이 처한 이념 지형을 넘어서 중도로 확장하기 위해 실용주의를 표방하기도 했다.

그 대표적인 사례가 앞선 경우에는 '안철수 국민의당 대표'이고, 후자의 경우는 이명박 정부였다. 우리나라에서 실용주의를 대놓고 표방한 대표적인 사례다.

MB정부는 집권 직후 실용주의를 표방했지만, 이념에서 벗어나 실사구시(실용)의 모습을 보인 것은 아니었다. MB정부는 '중도실용'을 우(右)편향으로 해석하고 우(右)편향적인 정책만 쏟아냈다. MB정부의 실용주의는 보수우파 정부가 정권의 임기 초반에 '미국산 소고기 파동'으로 인한 지지율 하락과 민심이반을 극복하고, 중도계층을 끌어안기 위해 내세운 정치적 수사에 불과했다.

한 마디로 실용주의가 아니었다. 당연한 결과이지만, MB정부의 실용주의는 실패했다.

말만 실용주의지 실용주의적인 것을 거의 보기 힘들었다.

안철수 국민의당 대표의 중도실용주의는 반(反)진보·반(反)보수[반(反)이념], 반(反)민주당·반(反)미래통합당[반(反)거대양당] 등 어디에도 포함되지 않으려는 의지를 보이기 위한 결기로서의 표현에 가까웠다. 양당과 차별화하기 위한 방식이었다. 투쟁하는 실용주의도 마찬가지 개념의 표현으로 보인다.

중도실용주의는 반대하는 것이 아니라, 맞는 것(옳은 것)을 선택하는 것이다. 또한, 실용주의는 '극중주의'라는 표현처럼 가운데만 있는 것도 아니다.

실용주의는 어느 한 가지 자세와 입장만 고수하는 경직된 행보로는 맞지 않는다. 안철수 대표의 국민의당은 확실히 실용주의와는 거리가 있다. 중도실용주의에 맞는 행보를 보여주지 않았다. 안철수 대표의 정체성에 가장 맞는 것이 보수인데, 그런 보수로 편입하기 위해 활용하고 있는 표현으로 보인다. 실제로 안철수 대표는 2020년 11월 현재, 보수정당과 보수 세력을 향한 구애의 태도를 끊임없이 던지고 있다.

안철수 대표 스스로 중도와 실용주의는 자신의 옷이 아니었음을 보여주고 있다. 안철수 대표의 실용주의나 MB의 실용주의나 모두 정치적 구호에 불과했다.

실용주의에 있어 필수사항은 편견이나 고정관념이 없어야 한다. 경직된 자세로는 실용주의를 실천하기 어렵다. 실용주의는 그 대상에 있어 가용성을 기준으로 판단하기 때문에 원칙보다는 실용성을 중시하며, 유연한 자세가 필요하다.

그런 점에서도 MB정부의 실용주의나, 안철수 대표의 실용주의는 진짜 실용주의가 아니며 구호뿐인 정치적 수사에 불과했다. 그냥 자신들이 하고 싶은 것에 갖다 붙이기 편한 자신들만을 위한 실용이었다. 우리나라에서 실용주의를 실현하기가 그만큼 힘든 것이다. 이런 사실을 표를 통해 설명해보겠다.

현안에 따른 민심(여론)과 정당들의 입장 차이

2020년 1월 어느 정당연구원이 의뢰한 온라인 조사에서 나온, 각 현안에 대한 응답 결과(여론)와 그 현안마다 정당들의 입장을 비교해 보면 재미있는 결과가 나온다.

*표38) 각 현안에 따른 응답 및 정당별 입장

① 공수처 설치에 대한 응답

	동의(매우+동의)	비동의(비동의+전혀)	모름
전체 응답	60.7%	38.7%	5.6%
중도성향 계층 응답	61.2%	32.7%	6.1%
A 정당 입장	동의	B 정당 입장	반대
C 정당 입장	제한적 동의	D 정당 입장	동의

② 검경수사권 조정 및 검찰개혁

	동의(매우+동의)	비동의(비동의+전혀)	모름
전체 응답	66.3%	28.8%	4.9%
중도성향 계층 응답	65.7%	28.7%	5.6%
A 정당 입장	동의	B 정당 입장	반대
C 정당 입장	제한적 동의	D 정당 입장	동의

③ 정부의 부동산 투기 방지대책

	동의(매우+동의)	비동의(비동의+전혀)	모름
전체 응답	63.5%	31.7%	4.8%
중도성향 계층 응답	63.0%	31.1%	5.9%
A 정당 입장	동의	B 정당 입장	소극적 비동의
C 정당 입장	비판적 동의	D 정당 입장	동의

④ 북미대화 재개를 위한 우리정부의 노력

	동의(매우+동의)	비동의(비동의+전혀)	모름
전체 응답	51.0%	42.6%	6.4%
중도성향 계층 응답	46.5%	46.5%	6.9%
A 정당 입장	동의	B 정당 입장	비동의
C 정당 입장	비판적 동의	D 정당 입장	동의

*중도계층의 경우, 동의와 비동의 응답이 같음. 전체 응답에서도 동의가 과반이 넘지만, 비동의와 차이가 8.4%p로 크지 않음. 국민 여론이 전반적으로 동의하는 것으로 볼 수 없으며, 여론 상황이 달라질 가능성 큼

⑤ 북한 김정은 방한 추진

	동의(매우+동의)	비동의(비동의+전혀)	모름
전체 응답	39.2%	52.6%	8.2%
중도성향 계층 응답	33.8%	56.9%	9.3%
A 정당 입장	동의	B 정당 입장	비동의
C 정당 입장	비판적 동의	D 정당 입장	동의

⑥ 도쿄올림픽 남북 단일팀 구성

	동의(매우+동의)	비동의(비동의+전혀)	모름
전체 응답	34.4%	57.2%	8.4%
중도성향 계층 응답	28.7%	63.6%	7.9%
A 정당 입장	동의	B 정당 입장	비동의
C 정당 입장	동의+비동의	D 정당 입장	동의

⑦ 미국·이란 충돌에 따른 국군의 호르무즈 파병

	동의(매우+동의)	비동의(비동의+전혀)	모름
전체 응답	20.5%	67.6%	11.9%
중도성향 계층 응답	18.4%	69.7%	12.6%
A 정당 입장	동의	B 정당 입장	동의
C 정당 입장	동의	D 정당 입장	비동의

⑧ 일본제품 불매

	동의(매우+동의)	비동의(비동의+전혀)	모름
전체 응답	70.7%	24.3%	5.0%
중도성향 계층 응답	71.3%	23.1%	5.6%
A 정당 입장	동의	B 정당 입장	비공감
C 정당 입장	신중	D 정당 입장	동의

⑨ 청와대 울산시장 선거 개입 의혹 철저 수사

	동의(매우+동의)	비동의(비동의+전혀)	모름
전체 응답	62.7%	27.9%	9.4%
중도성향 계층 응답	64.1%	26.3%	9.6%
A 정당 입장	비동의	B 정당 입장	동의
C 정당 입장	동의	D 정당 입장	동의

* 인용자료 출처 : 혁신과 미래 연구원. 여론조사 기관 입소스주식회사. (95% 신뢰수준에서 ±3.1%p)(패널을 활용한 온라인 조사. 1000명. 전국의 만 18세~64세 남녀 대상으로 지역별/성별/연령별 할당. 조사일시 2020년 1월 10~13일)

민심과 일치하는 중도계층(실용주의 계층)의 선택

'표38'에서 각종 현안에 대한 여론조사 응답과 함께, 필자가 별도로 4개 정당의 입장을 덧붙여 놓았다. 위의 자료는 2020년 1월에 조사된 것이고 응답자들은 2020년 1월 당시의 상황에서 판단한 것이다. 그리고 각 정당의 입장도 당시(20대 국회 막바지) 주요 4개 정당을 대상으로 표시한 것이다.

각종 현안과 관련한 여론조사 결과(중도성향 여론 별개 표시)와 원내 4개 정당의 입장을 비교해보겠다. 먼저, 중도성향 계층의 의견은 '북미 대화 재개를 위한 우리 정부의 노력' 부분만 제외하면 전체 응답과 일치했으며 수치의 차이도 크지 않았다. 중도성향 계층은 '북미 대화 재개를 위한 우리 정부의 노력' 부분에서 동의와 비동의 의 수치가 각각 46.5%로 같았으며 어느 한쪽으로 명확하게 의견이 쏠리지 않았다.

결과적으로 중도성향 계층의 의견은 전체 여론과 거의 다를 것이 없었다. 실용주의를 의미하는 중도계층이 국민여론이나 민심을 주 도하고 대변하는 것이라고 할 수 있다. 이런 실용주의적인 중도계층 의 선택은 이미 우리나라 정치지형을 그려놓았고, 역대 선거들의 결 과를 결정지어 주었다. 민주당 성향의 유권자가 다수인 지금의 정치 지형도 중도계층의 선택이 결정적이었다.

'표38'에 있는 각종 현안에서 여론의 결과와 각 정당의 입장을 비 교해보면 재미있는 결과가 나온다. A~D 정당은 '표38' 내용의 여론 조사가 진행될 시기에 존재했던 주요정당이었다.

A정당이 여론 응답과 일치한 사례는 9개 중 4개였다. B정당은 3 개, C정당은 5개였는데 그 중 2개는 다소 어중간한 입장이 섞여 있 었다. D정당은 6개로 9가지의 현안에서 가장 많은 부분이 일치했 다. '표38'대로만 보면, 국민 여론에 맞는 실용주의적 선택을 가장 많이 하는 정당은 D정당이라고 할 수도 있다. 불과 9개만의 현안으 로 판단하기에는 부족하지만 2020년 1월 당시에 비교적 이슈가 컸 던 주요 현안이었다. D정당과 달리 A정당과 B정당은 현안들과 입 장이 맞는 것이 3~4개에 불과했다. 한 마디로 실용적이지 못한 부 분이 많다는 것이다.

A정당은 더불어민주당이고, B정당은 미래통합당(현 국민의힘), C 정당은 바른미래당(현 민생당), D정당은 정의당이다.

놀랍지 않은가? 가장 좌파적이고 진보적인 정의당이 국민여론과 가장 많이 일치했다. 하지만 정의당이 실용주의 정당이라고 하는 사람은 없다. 정의당은 9가지 중 3가지 사안에 대해서는 분명하게 다른 관점을 보였다. 또한 앞서 말한 대로 9가지만으로 판단하기에는 부족하다.

그럼에도 불구하고, 중도주의 정당이자 중도계층이 지지하는 민주당의 입장은, 국민여론(응답)과 차이가 너무 많다. 9개 중 5개가 국민여론과 다른 입장이다.

그만큼 실용주의가 쉽지 않다는 것이다. 당시 중도실용주의를 표방했던 바른미래당조차 일치한 항목이 5개에 불과했고, 그렇게 일치한 항목조차도 다소 어중간한 입장이었다.

결론적으로, 현재 우리나라 주요 원내정당 중에 실용주의 정당은 없다. 또한 실용주의의 실천이 쉽지 않음도 알 수 있다. 그저 실용주의라는 용어를 탈이념의 개념에서 양당 및 양극단과 차별하기 위한 정치적 수사로 사용하고 마는 것이, 현재 우리 정치의 현실이다.

그렇다면 유권자 중에 다수인 실용주의적인 중도계층은 왜, 민주당이 실용주의(중도주의)에 그리 가깝지만은 않은데도 불구하고 민주당에게 우세한 정치지형을 만들어주었는지, 그 이유가 궁금해진다.

어찌 보면 지금의 정치지형에 대한 결과는 민주당에 대한 결과라기보다, 지리멸렬한 보수정당(세력)에 대한 결과라고 해야 한다.

지금의 보수 세력은 아직도 2016년 촛불 이후 한 발자국도 전진과 변신을 하지 않았다.

2020년 10월 26일 박정희 전 대통령의 41주기 추도식에 참석한

국민의힘 김종인 위원장은 일부 '보수 지지자'들에게 "물러가라", "빨갱이" 등의 야유와 비난을 받았다고 한다.

일부라고 하지만 보수 세력은 여전히 1960~70년대에 머물고 있다. 실용주의적인 중도계층이 국민의힘과 보수 세력을 선택하지 못하는 이유가 바로 여기에 있다.

〈에필로그〉

새로운 세대가 만들어놓을 정치지형

문자로 기록된 인류의 역사는 정치의 결과다. 전쟁은 정치라는 행위에서 최후의 수단이라는 말이 있듯이, 전쟁에 대한 기록도 인간이 벌인 정치 행위에 대한 기록이다.

정치는 종잡을 수 없는 인간이 만들어내는 일이기 때문에 정량화하거나 특정한 데이터로 표현할 수가 없다. 인류가 기록한 역사는 정량화할 수가 없다.

수학에서 1 더하기 1은 2다. 다른 결과가 나올 수 없는 불변의 결과다. 화학에서 H(수소) 두 개의 원자와 O(산소) 원자 하나가 합쳐지면, 원소로 H_2O(물)라는 화합물이 된다.

그러나 정치는 수학이나 화학처럼 절대적인 법칙과 원리가 존재할 수 없는 분야다. 아무리 합치고 더하기를 하더라도 정치에서는 화학적 결합은커녕 내부 분란만 계속되다가 흩어지게 되는 경우가 대부분이었다.

정치에서 세력 간 결합은 어떠한 결과가 나올지 아무도 모른다.

2011년에 탄생한 통합진보당이 그랬다.

통진당 형성 당시 외형은 '1+1+1'이었지만(진보+진보+진보), 결과는 제로(0)가 되었다. 당시에 누구도 통진당의 미래에 대해 실제 결과와 근접한 예측을 하지 못했다.

1990년 3당통합으로 탄생한 민자당은 국회의석 218석을 보유한 절대다수의 정당이 됐지만, 1992년 총선에서 299석 중 149석으로 과반달성조차 실패했다.

3개 정당이 합쳤지만 결과는 마이너스가 되었다.

이처럼 정치는 세력(정당) 간 합산이 있더라도 수리적으로 또는 규칙적 법칙처럼 결과가 나오지 않는다. 오히려 예측하지 못할 정도로 부작용만 낳았다.

그렇다고 정치에서 숫자가 전혀 필요하지 않은 것은 아니다. 대표적으로 선거 데이터가 그런 경우라고 할 수 있다.

물론 한계가 있다. 선거결과는 지나간 결과다. 근-미래에 대한 간단한 예측조차 힘들다. 그래서 여론조사라는 데이터가 유용하게 사용된다. 국가통계시스템을 통해 분기 단위로(짧게는 한 달 간격) 나오는 데이터도 존재한다.

이렇게 다양한 곳에서 산출되는 데이터를 가지고 세대별 특성을 고려하여 분석한다면 재미있는 예측이 나올 수 있다. 그런 예측이 어떤 법칙처럼 나오는 것은 아니지만, 인문학적 상상력이 더해지면 좋은 전략을 도출할 수 있다.

필자는 역대 선거의 결과와 함께, 현재와 과거에 비슷한 상황을 비교한 여론조사 데이터, 정책이나 사회적 현상으로 인해 수치로 도출되는 데이터(국가 통계 등)와 같은 자료를 바탕으로 다가올 정치와 선거에 대한 예상을 해보고자 했다.

그렇게 시작한 것이 우선은 '민주당 장기집권 가능성'에 대한 명제

명제였다. 이후 몇몇 자료들을 보면서 얻은 결론은 새로운 세대가 만들어가는 정치지형의 변화에 대한 내용이었다.

민주화(대통령 직선제) 이후 새로운 세대들이 유권자로 편입되면서 정치지형이 변하기 시작했다.

그 시간은 30년이 걸렸지만, 어쨌든 보수 중심 그리고 보수 우위의 시대가 끝났다. 민주당 성향의 유권자가 다수가 되어 중도주의 중심의 시대가 되었다. 그래서 민주당의 장기집권 가능성이 열렸지만, 생각보다 빠르게 다시 변할 조짐을 보이고 있다. 불과 10년이 걸리지 않을 가능성도 엿보인다.

정치지형의 변화 가능성과 변화의 방향은 중도-실용주의적인 Z세대와 2000년 이후에 출생한 세대들의 선택에 달려 있다. 그에 더해 30대(Y세대)의 변화도 감지된다.

민주당이 변화하지 않는다면, 이들 신세대들은 다시 새로운 변화를 모색할 가능성이 커 보인다. 다시 말해 제2의 안철수 현상이 조만간 나타날 가능성이 매우 높아 보인다(정치인 안철수에게 기회가 다시 주어진다는 뜻은 아니다.).

새로운 세대가 속속 유권자로 편입되고 있다. 1990년 이후에 출생한 새로운 세대는 지금의 정치지형을 다시 바꿔놓을 새로운 패러다임의 이념계층으로 보인다.

신세대들이 성장했던 시기인 2010년대에 우리 사회는 다양성을 충분히 보여주었다. 신세대들은 2016년 촛불과 대통령 탄핵 등 역동적인 민주주의 현장을 직접 목격했다. 자신들의 투표로 정권교체와 의회 주도권 교체를 직접 이루었다.

신세대들은 기성세대와 다른 방식으로 정치와 사회를 바라보고 있으며, 신세대 특유의 방식으로 익히며 판단하고 있다. 그들의 기대는 2020년까지 민주당을 향했지만, 민주당에 실망한 그들은 또 그만큼 빠른 속도로 민주당을 향한 지지를 거두고 있다.

역동적인 우리나라 민주주의를 직접 목도하고 바꿔놓은 그들이, 다시 어떻게 우리의 정치지형을 그려낼지는 알 수 없는 일이다. 필자가 다시 무엇인가를 연구해보고 통찰해본다면, 아마도 다음 과제가 바로 이 부분이 아닐까 생각된다.

정치는 생물. 가능성과 달리, 실제 결과는 어찌될지 모른다

우리 정치는 지금 당장 중요한 선거가 임박해 있다. 서울시장 및 부산시장 재·보궐 선거와 20대 대통령선거다. 본문의 내용을 통해 각 세력이 나아가야 할 길을 어느 정도 나타내 주었다고 생각한다.

하지만 곳곳에 변수가 도사리고 있기에 어느 것이든 단언하기 쉽지 않다. 특히, 우리나라 제1도시와 제2도시의 시장을 뽑는 재·보궐 선거는 예정에 없던 선거다. 그렇기 때문에 20대 대선을 앞두고 매우 큰 변수가 될 것이다. 재·보궐 선거가 끝나고 11개월 후에 대선이 진행된다. 딱 10년 전인 2011년의 상황이 오버랩 될 수밖에 없다.

11개월이면 언제라도 예측하지 못할 또 다른 변수가 충분히 나올 수 있는 기간이다. 변수는 어떻게 흐를지 아무도 모른다.

재·보궐 선거를 여당이 이긴다고 해서, 여당이 대선에 유리하다고 할 수 없다. 반대로 야당이 이긴다고 야당이 대선 승리할 것이라는 법칙도 없다. 정치는 생물이기 때문이다.

그러므로 필자가 얘기하는 민주당 장기집권 가능성은 그것을 어떻게 보느냐에 따라 달라질 수 있을 것이다. 경우에 따라 야당에게 전화위복이 될 수도 있다는 얘기다.

문제는 특정 정파나 소수 정치인들이 자신들의 이득을 위해 권력 싸움만을 추구한다면, 반드시 국민들의 심판이 뒤따르게 될 것이라는 점이다.

극단적인 모습의 일부 세력이나 정치 팬덤은 여론이 아니다

더욱이 소수에 불과한 극성스런 일부 세력의 눈치를 보거나, 그들의 행동력에 기댄다면 계속 실패만 할 것이다. 대표적인 사례가 바로 지난 21대 총선 결과다.

국정농단을 일삼던 정권을 1천만 촛불이 끌어내린 것을 두고, 좌파의 모략으로 벌어진 억울한 사건이라고 보는 일부 소수 세력들이 있다. 보수 정당(국민의힘)은 그들에게 쩔쩔매는 모습을 탈피하지 않으면 절대로 수권능력을 회복할 수 없다.

속칭 극우세력으로 포장된 그들을 '우파'로 분류해서는 안 된다. 그들은 주로 노인세대를 대상으로 하여 분노를 확산시키면서 특정 정치인을 숭앙하며 전체주의적이고 전제주의적인 모습을 보여준다. 반이성적이고 파시즘적인 결속을 유지하는 소수 세력이다.

그러므로 그들을 우파 중의 한 갈래인 '극우'로 표현하는 것조차 잘못된 일이다.

그들은 정치와 종교적 성격을 교묘하게 섞으며 우파를 가장하고 있을 뿐이다. 그들의 성격은 정치적 철학인지 종교적 신념인지 구분하기 힘들다. 그리고 그 점을 최대한 악용하고 있다. 우리 사회와 정치를 퇴보시키고 있는 저질 정치행동체일 뿐이다. 그들은 민심도 아니고, 그들과 관련한 데이터는 가치가 없다.

이런 점은 속칭 문파라고 불리는 정치 팬덤 그룹도 다르지 않다. 현재 문파는 집권여당인 민주당 당원 구성에서 다수는 아니지만, 극성스런 결집능력을 통해 큰 영향력을 보이고 있다.

문파는 현 정부의 강력한 지지그룹이지만, 문파가 대중과 민심을 대변하는 것은 아니다. 혹시 민심과 여론조사 결과 등이 문파가 바라는 대로 나오더라도 그것은 민심의 결과이지, 문파가 민심을 대변해서 그런 것은 아니다.

극단적 세력이나 팬덤에 대해서는 데이터로서 가치가 없으므로 이번 작업에서 그와 관련한 것들은 모두 생략했다.

이번 작업에서 당초 고려했던 일부는 계획한 범위까지 작업이 되지 못했다. 아쉽지만, 다른 방법으로 얘기를 나눌 수 있기를 기원해 본다. 2021년 서울시장 재·보궐 선거는 너무나 임박해 있어서, 애초에 이번 작업의 범주에 넣지 않았다. 인연이 닿아 있는 분들과 별도로 논하게 될 것으로 생각한다.

이번 작업을 마치며 글 쓰는 작업은 다시 잠시나마 멈추려 한다. 졸필에도 불구하고 끝까지 함께해주신 독자 여러분에게 감사드린다.

책을 내면서

50여 일에 가까운 외로운 작업이 끝났다.

2017년 한참 칼럼을 연재하던 당시에 일과 글쓰기, 두 가지를 병행하기가 힘들었다. 조금은 지쳐 있었기도 했다. 고민 끝에 세 번째 저서를 발간한 후 절필을 했다.

1주일에 한 번꼴로 무언가 써내야 한다는 의무감은 나름대로 나쁘지 않은 긴장 상태를 만들어주기도 했지만, 필요 이상의 조바심과 각박함도 주었다. 그래서 글쓰기를 멈추었다. 시원섭섭했다. 덕분에 내가 해야 할 다른 일에 집중을 할 수 있었다.

내 일에 만족하며 살았고 글을 써야 한다는 압박도 없었지만, 주기적으로 글을 썼던 습관은 쉽게 떨쳐지지 않았다. 나의 일 중에는 메시지를 창조하고 만드는 것도 있었다. 그러다 보니 내 글에 대한 갈증이 있었던 것도 사실이다.

'대권주자'나 '당 대표'급의 정치인 메시지를 쓰는 것은 매력 있는 일이다. 메시지를 창조하는 과정이 쉽지 않지만 그만한 보람이 있다. 큰 정치인의 메시지는 작성자가 제너럴리스트여야 가능하기에 그만큼 자부심도 크다.

최소한 수십만에서 수백만의 사람들이 그 메시지를 접한다는 데서 희열을 갖게도 한다.

그런데 순수하게 내 글을 쓰는 것도 다른 재미가 있다. SNS에서 배설하는 글이 아니라, 인쇄되어 나오게 되는 글을 쓴다는 것은 작지 않은 책임을 느끼면서도 자랑스러운 일이기도 하다. 비록 큰 정치인의 메시지와 비교하면 내 글을 접하게 되는 사람이 수십만 분의 1 정도에 불과하지만 말이다.

선거·정치 전략을 의뢰받아서 분석하고 기획하는 일도 꽤나 흥미로운 일이다. 의뢰한 쪽에서 그것을 받아들여 활용하고 괜찮은 결과로 이어는 것을 바라보면 흐뭇하다. 기획자가 스페셜리스트여야 가능하므로 스스로의 만족감도 크다.

그런데 오로지 내 글을 위해 만든 통찰의 결과를 독자들에게 떠드는 것도 신나는 일이다.

경제적인 이익으로 비교하면, 책에서 내 얘기를 떠드는 것은 의뢰를 받아 만드는 것에 비해 형편없지만 말이다.

결국 나는 다시 글을 썼다. 그 과정에는 최광웅 선배님의 제언과 코멘트, 그리고 아내의 압박(?)과 권유가 있었다. 만약 그렇지 않았으면 책을 내지 않았을 것이다. 지면을 통해 최광웅 선배와 아내에게 감사드린다. 네 번째 책을 발간하게 된 결정적인 모티브였다.

무엇보다 고마운 사람은, 아빠가 간만에 글을 써서 책을 낸다고 하니 필요한 장비와 장소, 시간을 애써 배려해준 예쁜 딸이다. 이제 숙녀가 된 딸에게 고맙다는 말을 하고 싶다.

감사드릴 분들이 또 있다.

모임에 잘 가지도 않으면서 나오기만 하면 가장 투덜거렸던 막내인데, 그런 내게 많은 영감을 주었던 'Spes Novae' 멤버 선배님들께 감사드린다.

독서와 토론을 빙자하며 세상 얘기를 나누는 '중상모략' 모임의 2030세대 후배들에게도 고맙다. 큰 형인 나와 함께해주어, 많은 책임을 느끼게 해주었다.

그밖에 감사의 인사를 드릴 분들이 적지 않다. 일일이 뵙고 감사를 드릴 계획이다.

혼자 빛나는 별은 없다. 이 세상엔 나 혼자 이룰 수 있는 것은 거의 없다. 모두가 조그맣지만 하나씩이라도 보탬이 됐기에 가능한 것이다. 영광스런 나의 네 번째 책도 그래서 나오게 됐다. 부족한 나에게 힘과 용기가 되어준 모든 분들에게 큰 감사를 드린다.

2020년 12월 어느 날
저자 김 효 태